INVENTARIO

EMILIO DÍAZ VALCÁRCEL

INVENTARIO

(NOVELA)

EDITORIAL CULTURAL, INC.
Roble, 51 - Río Piedras
PUERTO RICO
1975

Portada de Ernesto Torres

Depósito Legal: B. 46.372-1974
ISBN: 84-399-3140-9

Printed in Spain *Impreso en España*

Impreso en el Complejo de Artes Gráficas MEDINACELI, S. A.
General Sanjurjo, 53 - Barcelona-12 (España)

A Lydia, compañera

¡Cuán lejos ya me encuentro de mí mismo!
¡qué mundo tan extraño me rodea!

LUIS PALÉS MATOS

Bajaba todas las tardes del autobús, los brazos entumecidos por los empujones de los viajeros de caras identificables, y se encaminaba repartiendo saludos hacia su cuarto. Le gustaba la rutina de los últimos años, la vida deslizándose como sobre rieles, sin preocupaciones (porque las grandes tribulaciones dieron paso a esa vida lenta, monótona, ambicionada en sus años de juventud).

En los flancos de la avenida se alzaban edificios de departamentos, comercios y oficinas; las luces de neón despertaban a las siete y relumbraban en las vitrinas, en las aceras, en los ojos de los peatones; encima, con abundantes nubes en el sofocante estío repetido a lo largo de diez meses, se extendía un cielo oscuro (pero esa oscuridad empezaba después de los neones y del azul radiante que encandila a los pájaros).

Tan pronto comenzaba a bajar por la callejuela, lo escoltaban casas de dos plantas, bañadas por los más inesperados colores. Más abajo, racimos de casuchas de madera y zinc se arrinconaban sin esperanza, sostenidas por soportes que anunciaban la proximidad del tremedal.

Imaginó cacerolas anidando sobre los hornillos; una anónima mujer, que ha estado preparando la comida, espera de un momento a otro la fatiga del marido, sus ademanes: se despoja de la camisa sudada, maldice el sofoco, el embotellamiento del tráfico (podría besarla con descuido, señalado por la huella que los días imprimen en su espíritu, en las líneas de su semblante).

En los callejones había perros, gatos y gallinas, y detrás de una casa cualquiera, en un misterioso patio urbano, entre innumerables objetos muertos, una mano habría plantado una semilla, regaría minuciosamente un brote o condicionaría un rosal. Rezaban, aspiraban al cielo, pero se aferraban a la tierra; cultivaban día a día, con ilusión conmovedora, su existencia terrestre. Germán había estado pensando en estas cosas a medida que avanzaba sobre las resquebrajaduras de las aceras, de donde brotaban tenaces mechones de yerba, mientras escuchaba voces, ladridos, el rezongo de los motores de la interminable columna de automóviles en la avenida. Llegaba así a una de las zonas más pobres de la ciudad; los niños andaban en cueros, los desempleados se agazapaban en la oscuridad, la espalda desnuda apoyada en el tabique, mirándose furiosamente los dedos de los pies. En esa zona lóbrega, donde las mujeres de tetas derretidas doblegaban a golpes a sus hijos, imperaba el desamparo. A sólo unas cuadras de la avenida llena de escaparates había comprobado con cierta desazón el contraste entre lo abundante y lo escaso, entre el lujo y la pobreza. Y no dejaba de asombrarle que años antes ni siquiera considerara tales cosas. ¿No se debía a sus conversaciones con Meléndez? Desde el primer encuentro la amistad entre ambos había crecido en forma realmente extraña. Porque se trataba de polos opuestos. Mientras él dejaba transcurrir los años en una rutina tranquila, el médico participaba en congresos políticos, en actividades propias de su profesión, y le sobraba tiempo para dedicarse al deporte y a la filatelia. Una vez vio un poema sobre su escritorio; quiso saber el nombre del autor, pero Meléndez estrujó el papel y lo echó al canasto. "Lo que pasa es que nos complementamos", había afirmado el médico.

Se detuvo cuando escuchó un grito; volvió la cara en el momento en que un mozalbete saltaba por una ventana. Apareció una mujer gritando. De las casuchas salieron hombres a medio vestir, mujeres y niños. De inmediato se formó un corro. Debía de tratarse de un adicto a drogas; era asombroso cómo se había incrementado en los últimos años el uso de estupefacientes. Ya, a estas alturas, no se salvaban siquiera las residencias más miserables. La imagen de Meléndez volvió a su memoria, el brazo levantado, hablando con ardor: "Es la incertidumbre que atormenta a este pueblo, compréndalo de una vez, la incertidumbre". Sonrió ante esa aparición tenaz, que se disolvió en ruidos de pasos, en el zumbido de una máquina de coser, el precipitarse del agua en un fregadero, el diálogo entrecruzado de ruidos de estática de un programa de televisión, el cacareo de una gallina.

Se encontró tratando de orientarse, desconcertado por esos pasos erráticos en una zona que conocía de memoria. Tras un momento de duda atravesó el callejón donde varios niños jugaban descamisados, hallando sin esfuerzo, como esperaba, la amplia calle cerrada, bordeada de casas de cemento erigidas bloque a bloque: una zona de menguada prosperidad custodiada por casuchas, desde donde se observaba el caño de aguas fermentadas que atravesaba la ciudad. Se encaminó resueltamente hacia la casa de dos pisos, blanca con techumbre de zinc rojo, construida sección por sección, clandestinamente.

En la calzada lo recibió un alboroto de niños. Germán hurgó sus bolsillos y sacó caramelos.

—Se los reparten como buenos amigos —palmeó las

cabecitas oscuras—. No quiero quejas, porque no vuelvo a traerles nada.

Los niños empezaron a disputarse las golosinas. Los observó un momento, sonriendo, se encogió de hombros y entró al vestíbulo. El buzón estaba vacío. Acostumbrado a una que otra factura (esto no era frecuente, en realidad ya apenas tenía deudas), la semana pasada le había sorprendido un sobrecito con su nombre escrito a mano. Había aplazado la sorpresa de su contenido para la soledad de su cuarto, cuando se despojara de la chaqueta, calzara las pantuflas y se permitiera el mínimo placer de dejarse caer en la butaca. Entonces descubrió que se trataba de la invitación a una velada de excondiscípulos. Leyéndola, había experimentado una rara, antigua emoción.

Advirtió vagamente que las paredes y el piso habían sido fregados, pero luego se dijo que no, que la brillante luz de la tarde lo engañaba. Experimentó un momentáneo vértigo, y lo atribuyó al calor, al cansancio de los últimos días, al cielo repentinamente endurecido en nubarrones de aluminio. Hacía días que sufría ciertos achaques, por las madrugadas solía despertarse con un fuerte dolor de espalda; sin contar que había empezado a olvidar detalles de su oficina, conversaciones sostenidas con sus subalternos, compromisos ineludibles. Por otra parte, Celia había vuelto algunas tardes a su memoria, desalentada y humillándolo.

Germán hizo lo posible por recobrarse de un momento de amargura, una amargura vieja y llena de grietas por donde lograban filtrarse, no obstante, ciertos momentos luminosos: un perfume, una melodía desdibujada, el roce de una mano cálida y extraordinariamente suave. Nada tenían que ver esos roces aterciopelados con esa escalera de cemento, ni la muerta melodía de su juventud con la vocinglería de los chicos en el patio, ni el tufo que venía de la cocina con el aroma de una cabellera desaparecida hacía tiempo.

Germán subió las escaleras, entró en su aposento y cerró sin hacer ruido. Su vida estaba llena de silencios y de compases de espera, como un pentagrama. Tenía la costumbre del sigilo, de los pasos en puntas de pie, y sólo la casera podía detectarlos. La costumbre se había iniciado años antes, cuando la enfermedad de Celia, y persistía inútilmente, de la misma manera que persisten sobre las aguas los restos de un naufragio: una tabla de la que nadie podría asirse, objetos irreconocibles que testimoniaran una vida.

El cuarto era largo y estrecho, y Celia acostumbraba llamarlo "caja de zapatos" con la furibunda mordacidad de sus últimos años. Había un tocador adosado a la pared, una silla de paja trenzada, de anchos brazos, una butaca de cuero, raída y calurosa, una mesa de trabajo con una Remington enfundada; al verla reconoció que había olvidado el portafolio. Se recriminó por ese inexplicable descuido, jurándose que en lo sucesivo no cometería el mismo error.

Mientras se quitaba la chaqueta se fijó en la cama meticulosamente vestida. Carmen se preocupaba de que no apareciera una sola arruga en el cobertor, de que la almohada estuviera en el sitio exacto. La silla de paja trenzada le pareció, de momento, un pavo desplegando las alas; pero un pavo puede ser un animal hermoso, pensó; de todos modos, rara vez la usaba, si no era para acomodar los pies en los momentos en que escuchaba música.

De pronto, se desató el chaparrón. Germán corrió a la

ventana y observó el agua precipitarse en la calzada. Las casuchas entrevistas sobre las azoteas de cemento se arrebujaban tiritando; imaginó los interiores humedecidos, las camas mojadas, las medidas improvisadas para evitar las goteras. La lluvia caía con violencia diseñando cortinajes grises que avanzaban, se superponían, desaparecían diluyéndose rumbo al lejano puerto donde apenas se vislumbraban las oscuras siluetas de las embarcaciones. Las lluvias de mayo, pensó, las primeras lluvias de mayo. Una ráfaga lo mojó, y cerró la ventana. Apreciaba la oscuridad bajo los torrentes, como cuando de niño se arrebujaba con su hermano bajo una sábana a escuchar la lluvia en la techumbre de zinc.

Germán cerró los ojos. Sentada en una maleta acabada de subir, Celia contemplaba absorta las sillas, la ventana, el tocador, el lavabo gotereante. Las paredes habían acabado de ser pintadas. La cara devastada de Celia se hundió entre las manos.

—A mí tampoco me gusta —gruñó él colgando la ropa en el armario, percibiendo, sobre el costoso perfume de su mujer, la primera vaharada del caño.

—No te gusta, pero no mueves un dedo para evitarlo. ¿Cómo voy a invitar a mis amigas viviendo en una pocilga?

Qué lejos está de sus días de éxito, pensó Germán, del Colegio de Señoritas, del Casino, del enjambre de admiradores. Levantó una maleta y la dejó sobre la cama, metiendo la llave en la cerradura.

—Vendrán mejores tiempos.

—Si al menos no fueras tan orgulloso y te asociaras a papá.

La miró, las manos llenas de ropa.

—No tan orgulloso.

—Lo eres. Cabeciduro y orgulloso.

Germán fue amontonando la ropa con cuidado.

—Tienes razón —dijo al fin—. Te he arruinado. Te hubiera convenido aquel tipito delicado ¿no?

—Que ahora tiene un gran negocio de importaciones —Celia lo miró desafiante—. No haces nada por entenderme. Me has traído a vivir a un arrabal; no puedo perdonártelo.

Germán le volvió la espalda. Fue a la ventana y la abrió. Había dejado de llover y los niños, descalzos y semidesnudos, reanudaban sus juegos en la calzada llena de baches. De los manglares llegaba un hedor a raíz podrida, a yodo, a vegetal sombrío. Un relámpago cruzó el cielo, haciendo resonar un trueno. El caño se había forrado de un reverbero de espuma aceitosa.

El ojo del Zenith empezó a parpadear mientras Germán trataba de sintonizar su emisora preferida. Era un aparato giboso, con demasiada madera, y había que golpearlo para que funcionara. Reconoció unas notas, unos acordes, "Las Estaciones" de Vivaldi, alegrándose de que pudiera asirse al formidable recurso de la música. Con cierta pesadumbre se repitió lo que había pensado tantas veces un poco ridículamente; la vida de un hombre está regida por cuatro estaciones inescapables.

Mientras buscaba ropa interior agachado ante el tocador advirtió la lentitud de sus propios movimientos. Había aprendido a depurar todo movimiento innecesario, cada paso que no lo condujera exactamente donde quería. Conocía los caminos invisibles trazados por la costumbre, vericuetos rutinarios que sus pies seguían mecánicamente, veredas en cuyos flancos germinaba el silencio como matorrales en las orillas de un camino rural.

El ruido de carambolas en el bar vecino le llegó mezclado a los acordes vivaldianos. Discutían, siempre discutían de política en el bar, o sobre una jugada impropia o una cuenta exageradamente abultada. La Wurlitzer opacó los ruidos del billar y luchó tenazmente contra el Verano de Vivaldi. En algún punto, en la luz obcecada que se negaba a retirarse, ladró un perro.

Germán sonrió cuando desde la calle alguien levantó un brazo para saludarle, un brazo que al erguirse pareció señalar, aparte la perspectiva disparatada, el bote en el agua aceitosa del caño, un bote misterioso que transportaba dos, tres pescadores más allá de los manglares, de la tierra rescatada trabajosamente del agua (tierra donde se podía pisar con la seguridad de que el tobillo saldría embadurnado de fango oscuro, donde pululaban oleadas de cangrejos y de insectos acostumbrados a los retorcimientos de las raíces).

El Verano de Vivaldi finalizaba y la orquesta se preparaba a atacar el Otoño.

Esperó recargado contra la pared del baño común, mirando al techo, escuchando la canción que entonaba la vecina bajo la ducha. Ese momento también había sido repetido hasta la saciedad; la voz dentro, extrañamente lejana, el tenue perfume del jabón, el angosto pasillo, el cielo raso de donde se descolgaba una araña: una cucarachita se movía cerca de esa trampa minúscula, y él vio con disgusto cómo la araña se aprestaba al ataque mientras el invierno (¡y no el de Vivaldi!, pensó con triste hilaridad) se aproximaba a aquella insignificante vida.

Pensó en los miles de pasos que habían recorrido aquel pasillo; sus propios pasos en las mañanas y en las tardes y en las madrugadas en que tuvo que salir precipitadamente, colgándose el saco al hombro, en busca de un teléfono para llamar a un médico mientras las lamentaciones de Celia lo seguían a lo largo del trayecto. Y los pasos menudos de Celia y más tarde sus pasos arrastrados que la alejaban de él y la acercaban inexorablemente al final de la sinfonía que resonaba en su radio (las trémulas, apagadas resonancias de la miseria final). Germán pensó que los pasos siempre dejarían huellas, sobrepuestos, no siempre encajando perfectamente sobre otras huellas no vistas, irían multiplicándose hasta cubrir los miles de pasos en el pasillo penumbroso, en la calle, en los autobuses, pero siempre definitivos; porque la huella de un paso es insustituible por todo lo que ha pesado sobre ella: una preocupación, un relámpago de alegría, una encomienda extraña, un destino que se cumple, un destino que reniega, reflexionó.

Al salir del baño, la joven encinta lo saludó con una sonrisa tímida; era una campesina que hacía años había abandonado sus campos. La mata de pelo de Catalina chorreba sobre sus hombros estrechos. Germán se inclinó y le deseó a la joven, feliz mujer, una hermosa criatura como, dijo, eran sus padres. Hacía un año que Catalina y su marido vivían en la habitación vecina. Germán los oía reñir, sonaba un portazo, y el marido regresaba a las tres de la mañana, ebrio, golpeando la puerta; seguían maldiciones, pero luego las voces se diluían en murmullos sosegados. A la mañana siguiente eran felices, no se guardaban rencor: se necesitaban en el oscuro laberinto de hormigón de la ciudad, sus riñas eran sólo parte del juego amatorio, tanta parte como la cama o quizás complemento necesario de la cama, del lecho que había sido tan propicio como para que otra vida empezara a manifestarse.

Después de ducharse, Germán sacó el álbum en el que había guardado la invitación de sus excondiscípulos; pero no la halló. Buscó las gavetas del ropero y las del tocador sin éxito. Perplejo, rehízo mentalmente el momento en que llegó al edificio, sacó el sobre perfumado del buzón, habló con Carmen, subió a su aposento, hizo funcionar el radio, extrajo la ropa interior, se dio un duchazo y regresó al aposento. Se había detenido junto al tocador y leído la invitación impresa en caracteres dorados, una amable tarjetita que hablaba de viejos amigos separados por los afanes de la vida. "Y estar todos juntos como en los buenos tiempos".

Germán se recriminó una vez más por su negligencia, y no pudo dejar de pensar en la insignificante equivocación de esa tarde, cuando erró estúpidamente por una calle antes de llegar a su edificio. De todos modos, reconocía que desde hacía semanas se sentía abatido por ciertos asuntos de la oficina: Clarence empeñado en despedir a un empleado capaz de venderle un seguro de vida a una piedra, a lo que él se había opuesto tenazmente. Naturalmente, habían surgido discrepancias y él se había sentido molesto por lo que le pareció arrogancia de ese extranjero joven que ni siquiera hablaba el idioma del país al que venía a trabajar. Esto lo arrancaba en cierto modo de su tranquila rutina.

Y mientras cavilaba sobre el breve extravío de la tarde, en Clarence, en la lectura entusiasmada de la invitación, Germán se animó considerando que, al menos, recordaba con exactitud la fecha y el lugar del encuentro con sus amigos de juventud. El hecho de que no recordara dónde había dejado la invitación lo impulsaba a tirar nuevamente de la punta de la madeja. Estoy cansado de pensar, pensó.

ESCUDRIÑAN EL SEMBLANTE estrujado, la papada, los espejuelos destellando en la punta de la nariz justamente como en las tirillas cómicas. Huele a tiza, a pizarrón, a cuaderno emborronado, a libro perforado de polillas. Cuchichean, enmascaran la risa tras dedos manchados de tinta fresca. Imposible aguantar más.

—A ver, niños. La clase de inglés. Espero que hayan hecho sus asignaciones. ¿No pueden estarse quietos? ¡Idiotas! Frases idiomáticas. "Un día sí y otro no." ¿Quién contesta? ¿Nadie? Germán, póngase de pie y conteste mi pregunta.

—No sé, teacher.

—¿No sabe? ¿Y me lo dice con esa cara? Al menos haga un esfuerzo. Un día sí y otro no.

—One day yes...

La papada se encoge con movimiento de acordeón. Resuenan chistidos en todos los pupitres.

—¡Conque one day yes! Burro. ¿No le da vergüenza? ¿Qué futuro lo espera si no estudia sus lecciones? Será un limpiabotas, un don nadie.

El limpiabotas Germán se sienta encorvado, la cara le va a estallar. Las mangas le bailan en torno a los brazos, la camisa, demasiado holgada, se le abullona en la espalda. Sergio asoma su cara roja y huesuda:

—Germancito, burrito.

—No lo molestes —Amalia se enfurruña—. Every other day, teacher.

Sus pechos apuntan incipientes; el borde de su falda coletea descosido, abanicando corvas pálidas y descarnadas. Los muchachos dicen que no se cuida, que le importa poco pintarse y lucirse, pero nadie obtiene mejores calificaciones. La obstinada raya de su boca es severa para todos menos para el limpiabotas Germán. Una vez Amalia le había confesado que se haría monja porque no soportaba que los chicos le preguntaran si usaba el compuesto vegetal Lydia Pinkham, y él había preguntado qué, qué cosa, y ella dijo "remedios que usamos las mujeres mensualmente", esmerándose en referírselo todo. Germán se ruborizó, preguntándole si a su madre también le sucedía. "Pues claro", respondió Amalia; tenía la cara cuadrada y usaba espejuelos de concha y dijo: "Nos cuidamos mucho, nada tan desagradable, lo nerviosas que nos ponemos con dolores de cabeza y todo". Esa noche Germán había pensado mucho en dolencia tan extraña, y por la mañana espió atentamente a su madre esperando descubrir un indicio.

Amalia le muestra el reloj pulsera. Cuando retira el brazo, repica el timbre. Salen ordenadamente hasta el pasillo, pero luego se desbocan zumbando en el polvo tornasolado del patio. Con el puño minúsculo en alto, la maestra chilla "partida de salvajes".

El limpiabotas Germán se echa en la sombra salpicada de hojas de bambú, secas y ensortijadas como serpentinas carnavalescas, ojeando un librito de tirillas cómicas. Amalia se desliza a su lado con aparatosa compostura, cubriéndose las rodillas para que no se le, para que no, porque se internaría en un monasterio y abandonaría la inmundicia del mundo. Germán oculta a su espalda el librito porque Amalia le inspira respeto y es como una maestra excesivamente joven y exigente.

—No tienes por qué esconderlo. A mí también me gustan. Claro, no todos. Algunos ayudan a desarrollar la imaginación. Los de la selva son muy instructivos, aunque a veces exageran. ¿Cuáles prefieres?

—Los de detectives.

Amalia no lo mira, rígida desaprobación que no muestra ni con un parpadeo. Luego observa reprobadoramente a las bandas de chicos que se desplazan bajo los bambúes.

—Voy a dejar esta escuela horrorosa —dice al cabo—. Mira cómo se pavonean. Sólo piensan en divertirse. Y esa maestra, Dios mío. No debió decirte eso de limpiabotas. Está prejuiciada. Ella también es una estirada de la high class. Cuando termine el curso me largo.

—¿Lo dices en serio?

—Nunca hablo en broma. ¿No me conoces todavía? Si digo que me voy, es porque me voy.

—¿Y adónde vas a ir entonces?

—¡Qué pregunta! A un colegio de monjas.

—¿Interna?

—Imposible. ¿Quién ayuda a mamá entonces?

—Pero me dijiste que te ibas a hacer monja. Entonces sería peor, estarías alejada por completo de tu familia.

—No por completo.

—Sería peor, no podrías ayudarla, ¿entiendes? Yo no sé cómo hay gente que se le ocurre...

—¿Que se le ocurre qué, Germán?

—Abandonar el mundo, como tú dices.

—¿Qué de extraño tiene? Unos deben sacrificarse por los demás. Rezaré por todos. No es necesario que pongas esa cara. Los rezos son un instrumento poderoso. ¿Nunca vas a la iglesia?

—Fui monaguillo.

—Entonces entenderás lo que te quiero decir.

La cara roja de Sergio se inclina sobre Germán.

—Vente a echar una carrera, One day yes.

—Déjalo tranquilo; no piensan nada más que en jugar.

—Ay, ay, no lo defiendas, corazón. ¿Vienes?

—¿Hasta dónde?

—Hasta la verja.

—¿Quién más compite? No quiero darte una paliza a ti sólo.

—Carlos y yo también —Jorge enlaza la cintura de Elena, la otra mano presionada fuertemente dentro del bolsillo—. Vente, todos corremos.

—Dales una paliza, Germán.

—Ay, nena —protesta débilmente Elena (pelo dorado, piel dorada, pupilas doradas turbándolo secretamente)—. No lo defiendas tanto. Georgie, no te dejes ganar.

Germán se incorpora y los mira: Jorge con un bucle en la frente; la rígida, eterna sonrisa de Sergio; Carlos, grandullón y torpe, tan tímido como él. Se planta tras la línea trazada en el polvo, agachado, las manos apoyadas en los muslos, adhiriendo la camisa en sus costados con los codos para que no adviertan lo holgada, para que no le vuelvan a gritar que pertenece a su padre.

—En sus marcas. Listos... ¡Fuera!

TENÍA CUIDADO en marcar sus pasos por la acera de la sombra. El médico le había recomendado calma, no debía agitarse demasiado. En una de las entrevistas (lo recordó sonriendo) Meléndez le había recriminado que estuviera dispuesto a poner en duda la eficacia de sus recomendaciones, cosa que, dijo, es común en los que ignoran el a b c de la medicina. "¿Cree que me quemé las pestañas estudiando para que un vendedor de seguros venga a darme lecciones?" Germán le había contestado: "Bueno, doctor, a propósito, ¿ha pensado en el mañana, en el porvenir de sus hijos? Supóngase que perece en un accidente,

¿qué será de su pobre esposa y de su prole? ¿Estarían debidamente asegurados como para que la pobre viuda pudiera enfrentar los avatares de la vida? ¿O estarían amenazados por la espantosa plaga del hambre y la miseria? ¿No ha leído el plan asegurador de mi Compañía?" Meléndez había celebrado lo que consideró una ocurrencia profesional, aunque él no supo si se lo había dicho en serio, siguiendo su inveterado estilo de vendedor. Después Meléndez examinó ligeramente los expedientes y exclamó: "¡Ah, pero fíjese en el nombre de su compañía! ¡Ya me lo figuraba! *Ohio Insurance.* Por el amor de Cristo, ¿es que no puede existir una compañía genuinamente puertorriqueña? ¿Qué demonios tengo que ver con los hillbillies de Ohio? ¿Tendremos que seguir mandando nuestra escasa plata a los yanquis?" Germán sonrió. "Hay compañías nativas. Trabajé en una, pero estalló una huelga y no me sentí capaz de cruzar la línea de piquetes". El doctor asintió. "Magnífico, magnífico. Y dígame, ¿están sindicados en su compañía?" Germán sacudió la cabeza. "Bueno, pues ya es hora de que piensen en protegerse contra ladrones. Y no olvide, aparte mi mensaje gratuito, seguir mis indicaciones; en el aspecto médico, quiero decir". Germán se puso de pie. "Naturalmente, quiero vivir algunos años más". Cuando salía, poniéndole la mano en el hombro, Meléndez le dijo: "No está obligado a seguir trabajando. Con su condición puede retirarse por incapacidad física; si lo decide, consúlteme". Germán lo escudriñó socarronamente. "No me gustan las palabras incapacidad ni fracaso, me traen muy malos recuerdos".

Germán se sintió contrariado porque todos los relojes de una vitrina marcaban horas distintas. Debo comprarme uno, pensó. El que tenía desde tiempo inmemorial fallaba constantemente. Con lo que gastaba en reparaciones podría adquirir un Mido, o un Bulova, la marca era lo de menos con tal de que no fallara. Además compraría un modesto reloj de pared que sirviera a la vez de adorno (hasta ahora había rechazado toda idea de mejorar el aspecto de su habitación, que, vista después de tantos años, no resultaba tan incómoda ni deprimente).

Frente a un cine, grandes cartelones mostraban hermosas bañistas rodeando al héroe que lo podía todo con sus máquinas infernales, Agente 007. Vagamente rememoró a la Stanwick, a la Dolores del Río, a aquella extraordinaria familia de actores, los... ¿Barrymore? ¿Cuántos años hace que no vas al cine?, se dijo. Iré de vez en cuando, pero nada de dramas ni tragedias, estoy seguro de que Meléndez no lo recomendaría.

De regreso a su casa sufrió un momento de depresión y cansancio; pero cuando los vecinos, sentados a las puertas de sus casas, y los chicos jugando y alborotando le saludaban, sentía que la tristeza cedía y volvía a vivir su momento de siempre: no muy optimista, no muy pesimista, simplemente satisfecho de tener amistades (aunque esas amistades no pasaran del saludo, de la sonrisa momentánea, aunque no fueran nada más que gestos que le recordaran que debía hacer todo lo posible para continuar, como fuera, su existencia).

La linterna de un botecito rielaba en la sombra del caño hacia el norte, atrapada en la extrema lentitud de la hora. Empezaban los ruidos de la noche y las casas se convertían en manchas definidas a trechos por las bombillas del alumbrado público. Los insectos zumbaban. Tuvo la impresión de que las horas se estancaban como las aguas del caño, coagulándose, tal vez labradas en un material impreciso, insufribles por su lentitud. Debo comprarme un reloj, pensó de nuevo.

En la calzada, la casera traía un gatito en brazos, lo acunaba y arrullaba.

—¿Cuándo le va a permitir que se vaya a cazar ratas? —le dijo Germán—. Que se gane la vida con el sudor de su frente.

—No está acostumbrado a cazar ratones.

—Puede que terminen comiéndoselo a él. Huele a incienso.

La mujer lo miró con desconfianza. Dijo:

—Usted se burla porque es materialista y no tiene fe.

—Quisiera saber qué la hizo entrar en los misterios del espiritismo.

—¿Nunca se lo he dicho?

—Tuvo una revelación. No me mire así, todos tenemos revelaciones, sólo que cada uno se lo atribuye a causas distintas.

—¿Le molesta el incienso?

—Es mejor que las emanaciones de los carros. No quisiera estar en los zapatos de sus dueños.

—Lo invito para la sesión del viernes.

—Puedo encontrarme con espíritus desagradables.

—También puede recibir ayuda. ¿Viene?

—Sólo serviría para interrumpirles el fluido.

—Dejó la comida servida.

—Lo siento. Me entretuve mirando las vitrinas.

—Puedo calentársela.

—No, déjelo. Creo que me compraré un reloj. Y uno de pared.

—¿Para qué dos relojes? ¿No le basta con uno?

—Es verdad —dijo después de un momento de vacilación—. Pero uno serviría de adorno.

—Sería bueno un cuadro con flamboyanes y una casita de campo. O una montaña llena de flores.

Germán consideró un momento las palabras de la mujer.

—Un paisaje sería bueno —dijo.

—No tiene ni una estampa religiosa.

—Me deprimen terriblemente. No me vuelva a mirar mal, por favor. No está en mí. Debe tratarse de una experiencia de la niñez, esas cosas que se clavan para siempre en la mollera. Lo he pensado mil veces. Fui monaguillo —espió los ojos estriados de anaranjado—. Recuerdo los floreros; tenían un olor especial, mitad flores, mitad agua podrida. El incienso y la cera derretida. Era un lugar oscuro y misterioso. Pero cuando llegaba a casa me recibía Leal.

—Bueno, ¿va a comer o no?

—Les tenía pánico a los ojos de los feligreses. Desde entonces detesto los escenarios. Repicaba la campanilla fuera de tiempo, y lo peor, me entraba mal de risa cuando escuchaba el latín... Prefiero un poco de café con leche y sucaril. Mis tías se espantaban ante la idea de que les hubiera salido hereje. Mi padre se caía de la risa. Yo era su mismo retrato.

Carmen inició un movimiento hacia la puerta de entrada. Germán se quedó inmóvil.

—¿Me preparó la ropa? —dijo.

—Sí, la subí a su cuarto. Me debe media docena de piezas.

—No puede quejarse, soy su mejor cliente. ¿Qué se haría sin mí?

La mujer alzó un índice recriminatorio.

—Me pregunto por qué se porta así conmigo. Una comida preparada especialmente para usted, según la dieta. No tiene perdón de Dios.

—Guárdela para mañana. Entonces tendré apetito.

Carmen le volvió la espalda y entró al vestíbulo. Germán la siguió en silencio.

—No quise molestarla.

Ella se volvió.

—¿Está tomando las pastillas?

—Sí.

—¿Seguro?

—Desde luego.

—Yo usted, con ese padecimiento, buscaría jubilarme.

La linterna, resbalando sobre el caño, se alejaba cada vez más, perdida ya entre las sombras, hacia ningún sitio quizá; vagaría como alma en pena, y Germán pensó que tal vez se tratara de eso: alma en pena que busca salir del pantano, de las aguas que fluyen tan lentamente que casi no fluyen, que se estancan como las horas de esa tarde especialmente calurosa. La mujer volvió a acercar el minino a su mejilla. Afuera la luz de la hora iba agotándose, sólo brillaba sobre un trozo de zinc volviéndolo una insólita chapa de oro. El caño desaparecía, salpicado ahora por los puntos luminosos de las linternas de los pescadores de cangrejos. La noche avanzaba resueltamente, el momento de la congelación de la luz había pasado y la chapa de oro se difuminó como un sueño luminoso.

Subió lentamente las escaleras hacia el segundo piso. "Ya ve, doctor, sigo paso a paso sus instrucciones. ¿No piensa en el futuro de los suyos? ¿Qué le parece una formidable póliza de la *Ohio Insurance?*" El médico diría, apuntándolo con la estilográfica antes de empezar a garrapatear la receta: "Usted, uno de los agentes involuntarios de los que esquilman a este pueblo". El contestaría, un poco resentido: "No todo el mundo puede terminar una honorable carrera".

En el rellano se encontró con el marido de Catalina.

—¿Cuándo nacerá la criatura, amigo?

—El médico dice que de aquí a tres semanas. Pero me está que tardará más.

—No queda más remedio que tener calma, ¿no?

—Yo le pregunto si va para burra —rió estrepitosamente—. Cabecidura hasta para parir.

—A lo mejor lo sorprende una de estas noches.

—Después del segundo la opero.

Germán encendió la luz y atravesó la pieza hacia el tocador. Tiró rápidamente de una gaveta, apresó el frasquito marrón, lo destapó de prisa, derramó en su palma una píldora minúscula y la colocó bajo su lengua. Empezó a sentirse mejor, la opresión en el pecho lo abandonaba. Descorrió el cerrojo de la ventana y empujó las batientes hacia la noche, hacia el soplo caliente y hediondo del caño. Luego se despojó de la chaqueta, de la camisa, de los zapatos, de los pantalones, y calzó los pies en las pantuflas que invariablemente esperaban bajo la cama, al lado de la alfombrita. Se observó un minuto en el espejo. Ni bien ni mal dotado. ¿Cuántas mujeres habían abrazado su cuerpo? Caras que ya no reconocería. Aquella mujer bajo las luces azules del lupanar. Primera experiencia y asco. Sergio y Carlos se burlaron de él. "Puro y virgen."

Esa primera vez sintió que había deshonrado a sus padres.

Germán se sentó en la cama, y sólo cuando vio el frasquito de píldoras sobre el tocador se levantó, extrañamente contrariado , y lo depositó en la gaveta. Encendió el radio, pero como no le interesaron las noticias (guerras, asaltos, muertes), terminó por apagarlo. Quedó indeciso en medio de la habitación, escuchando los ruidos exteriores. El rumor de los motores en la avenida había disminuido. Sin pensarlo volvió al tocador, tiró de la gaveta y cogió el álbum. Sus páginas olían a humedad, a objeto guardado que se aproxima a la cualidad del moho. Bastaba hojearlas para que un intenso fragmento de vida empezara a agitarse bajo sus ojos. El, entre amigos, la boca abierta aún por el chiste que acababa de hacer; "Despedida de soltero, marzo de 1944". El y Celia juntaban sus copas entre varios amigos; ella vestía aún su sencillo ajuar de novia, Germán llevaba una flor en el ojal; el notario aparecía distraído, mirando hacia algún lugar indefinido; Sergio con los brazos cruzados; Amalia contemplaba la escena con una sonrisa que de repente le pareció irónica (hasta ahora no se había fijado en ese detalle); Jorge abrazaba a Elena y contemplaba con cara de sorpresa (¿por qué?) a la novia. En las páginas siguientes había una colección de fotos tomadas durante la luna de miel. Celia en la playa, sorprendentemente esbelta; Germán estaba a un lado, los ojos entornados por el sol, un poco encogido (en realidad en esa foto ella se había apartado bastante y parecía ignorar su presencia). Sin embargo, más adelante aparecían a la mesa de un restaurante, las caras unidas, riendo locamente. Celia junto a un auto modelo del 50. Una borrosa foto de su primera comunión: un ángel de cabellos negros, de perfecto perfil, pero aquella boca mostraba ya un rictus temerario. Otra foto la presentaba riendo con el pelo alborotado sobre las mejillas. En la siguiente aparecía enfurruñada, después de una riña con él, algo referente al trabajo, recordaba vagamente. Doblado, encontró un recorte periodístico con la noticia de su candidatura a reina del Casino. En otra página halló una de sus últimas fotos; Celia había tratado de destrozarla, pero alguien intervino bromeando, y por primera vez quedó un testimonio que no obtuvo su total aprobación; aparecía sumamente delgada, la enfermedad ya se había adueñado de aquel cuerpo que recordaba con embeleso (después no hubo más fotos de ella, porque había rehusado violentamente dejar una imagen que no fuera la de su belleza). En el reverso de la contraportada permanecía una fotografía amarillenta; una bebé, con un gorrito de seda, en brazos de una orgullosa madre.

Germán se levantó y guardó el álbum en la gaveta. De una cajetilla que hacía tiempo estaba abierta, sacó un cigarrillo y lo encendió.

La imagen de Celia flotaba borrosamente en el humo.

SE INCORPORA Y LOS mira: Jorge con un bucle en la frente, la rígida, eterna sonrisa de Sergio; Carlos, grandullón y torpe, tan tímido como él. Se planta tras la línea trazada en el polvo, las manos apoyadas firmemente en los muslos, adhiriendo la camisa en sus costados con los codos para que no adviertan lo holgada, para que no le vuelvan a gritar que pertenece a su padre.

—En sus marcas. Listos... ¡Fuera!

La camisa flamea desnudándole el abdomen, donde asoman los agujeros de la camiseta. Sus rodillas suben, bajan, suben, bajan como pistones enloquecidos. El aire es una bocanada tormentosa; un puño golpea el interior de sus pulmones. No advierte cuando la verja se le precipita encima, agrandándose rápidamente. Rebota, cae de espaldas, se pone en pie en el acto sacudiéndose los fondillos. Tiene tiempo aún para volverse y esperar sonriendo al resto del grupo, que trota agotado. Amalia se estropea las manos aplaudiendo.

—¡Les dio una paliza! Sergio, búrlate ahora, anda.

—One day yes.

—Estás furioso porque te ganó.

—One day no. ¿Sabes lo que es el compuesto vegetal de Lydia Pinkham, amor? Explícale, One day yes.

—Cuidado como hablas —gruñe Germán—. Mucho cuidado.

—Es un estúpido. Voy a dejar esta escuela horrorosa. Total porque les diste una paliza. A todos ellos les diste una paliza. ¿A qué no se atreven a probar otra vez? A ver, ¿tienen miedo? ¿Lo ves? ¡Tienen miedo, no pueden contigo!

—¿Quieren volver? —dice Germán—. Les doy ventaja. Cuatro pasos. ¿Qué pasa? ¿Quieren más?

Amalia traza una raya, meticulosamente. Se plantan con los ojos fijos en la verja. Los chicos de grados inferiores los rodean eligiendo sus candidatos, dando saltitos, aplaudiendo. Ninguno lo escoge, ninguno lo señala, la camisa demasiado holgada, tal vez, el ruedo del pantalón desgarrado; la falda de Amalia está descosida en la parte de atrás; Amalia lo mira y le sonríe; sólo a él; sensación de cosa dulce, de melaza.

—Cojan ventaja, tres, cuatro pasos.

Amalia cuenta cuatro pasos. Sergio, Carlos, Jorge, Miguel, se adelantan refunfuñando.

—En sus marcas. Listos... ¡Fuera!

Las espaldas de sus contrincantes se le aproximan como si corrieran hacia atrás. Un destemplado grito de Amalia le inyecta la decisión de vencer. Sergio es un hueso duro, pero claro, cuatro pasos de ventaja. La verja inicia el encontronazo, se lanza contra sus manos. Los chicos menores rodean al héroe. Amalia aplaude, no sería monja.

—Eres un galgo —admite Jorge—. Serás nuestro mejor atleta en las competencias. Galgo, corres como un galgo, pero no te pongas vanidoso.

Jorge y Elena estudiarían medicina. El papá de Jorge es cirujano, igual que el de Elena. Se casarían y pondrían un consultorio. El estudiaría leyes; abogado de los pobres.

—Tropecé, por eso me ganaste —dice Sergio.

—Ni porque te di cuatro pasos.

—One day yes.

—Eres mi chata. ¿Corremos otra vez? Son mis chatas.

Jorge se adelanta, entallada la camisa a cuadros, el bucle muelleando en su frente. La mano de Sergio deposita una brizna ceremonial en el hombro de Germán. Los dedos de Jorge avanzan hacia su hombro desteñido, hacia su camisola holgada y ridícula. El círculo retrocede clamoroso. De espaldas en la tierra, los ojos castaños de Jorge clavan pinzas en los suyos.

—¿Te rindes? —dice Germán.

—Los hombres no se rinden.

—¿No te rindes? Mira a ver.

—No se rinden los hombres.

Rodeados de piernas que patalean "Dale duro, quítatelo de encima, dale duro en la boca".

—Acaba con él —grita Amalia—, acaba con ese pavo.

La camisola se desgarra y se convierte en trapo para barrer el polvo. Se tiran de los pelos, se estrujan la cara con dedos llenos de repentino odio, retorcidos en un remolino de polvo y sudor. De pronto, las piernas que patalean a su alrededor desaparecen a la carrera. Jorge y Germán descubren los zapatos anticuados, de grueso tacón. Se paralizan, suben los ojos por las piernas regordetas, recorren el amplio cuerpo, alcanzan la papada, los negros orificios de la nariz sobre la que vacilan los lentes.

—¡Salvajes, brutos, estúpidos!

—Jorge lo provocó —responde Amalia sacudiéndole el polvo.

IMAGINÓ NIÑOS, PERROS, gatos, hombres y mujeres rudimentarios, que se entendían con monosílabos, conviviendo apretujados en un mismo nivel de dignidad. En los cimientos de las casas empezarían a instalar, con la extremada lentitud de quien no tiene mucho que esperar del mundo, hileras de bloques de cemento, impulsados por una insegura idea del progreso. Algunas de aquellas casitas de madera y zinc mostraban balcones de hormigón. Pero había zonas menos oscuras. Una parte del rostro del San Juan moderno cambiaba con suficiente rapidez como para llamar la atención de los enamorados del acero y el cristal, del cromio y el cemento.

"Es el progreso", había dicho Clarence engoladamente, levantando ante sus ojos juveniles el martini. Por las avenidas reptaban los fanales de los autos, trazando pistas luminosas. Grandes avisos de neón anunciaban los comercios, los cafés, los cinematógrafos, los bares. Clarence se erguía con orgullo señalándole la vasta explanada que se extendía hasta el pueblo de Bayamón, lo envolvía en sus tentáculos de luces y carreteras, lo despersonalizaba y se lo adhería a un costado. Bayamón se movía hacia donde no hubiera terreno ocupado por los múltiples repartos de casas iguales. "Todo es cemento, nos quedaremos sin tierra", había respondido Germán. Clarence dijo: "Pero, hombre de Dios, no me dirá usted que habrá que ponerle vallas a gentes que quieren tener su propio hogar, embellecerlo y criar una familia feliz y segura." No hacía dos meses que Clarence había arribado al país, y a Germán le dolía que ese joven arrogante, demasiado animoso, con su peculiar estilo de "businessman", pusiera en duda sus juicios sobre su propio país. La señora Clarence, una rubia espigada, estaba por lo demás encantada con el trópico. Miraba absorta hacia el mar y decía ¡oh!, con aquel delicadamente aprendido arrobamiento. El trópico le llenaba la cabeza de cocoteros, Puerto Rico era un cromo de almanaque donde tuvo la fortuna de ir a dar con un brillante marido gerente de una importante empresa continental. A su alrededor, entre las luces multicolores del bar, en la agradable penumbra, brillaban las blancas camisas, las sortijas, los dientes, los vasos, los cubiertos, los nítidos manteles, envueltos en la suavidad de la música de un grupo de nativos vestidos llamativamente, en el rumor de las conversaciones perfectamente moduladas, venidas al caso, aprendidas en algún manual de buenas costumbres; podía distinguir una carcajada no del país, porque también la risa norteamericana tenía su estilo: no muy ruidosa ni muy tenue, afectada, perfectamente medida para que llenara su lugar en la conversación con cierto encanto aprendido no menos arduamente, encanto que inevitablemente habría de cumplir un propósito: cerrar una importante transacción, apoderarse, esgrimiendo papeles y dólares, de otra porción de mercado. Esa noche Clarence trazó su estrategia general sobre las futuras operaciones de la compañía que empezaba a dirigir, la explicó como un general ante un mapa, sin detallar las trincheras, en una prolija enumeración de abstracciones que le dejó confundido. Dijo que lo había invitado por su dominio del negocio de seguros y por su conocimiento del inglés. Germán le agradeció envaradamente, un poco molesto por tanta charla donde sobresalía un optimismo ciego, el optimismo de quien está seguro de la infabilidad de su sistema. Y pensó en el abismo que separaba a ese joven apuesto, incorregiblemente agresivo, de esa multitud aplastada bajo las luces, bajo los techos de zinc, acorralada en estrechos dormitorios, viviendo entre el fango y los cangrejos. Pero el abismo podría cerrarse siempre que hubiera agentes de enlace, soldados y suboficiales que cumplieran las órdenes impartidas en otra lengua. Había pensado dolorosamente en las palabras del médico: "Usted, agente de los que esquilman a este pueblo." Pero a su edad, ¿había algo que hacer? Todos sabían lo de las cuantiosas inversiones y el dominio de la economía del país por empresas extranjeras. Se lo hubiera recordado, pero Meléndez sólo habría respondido: "¡Pues a moverse, a hacer algo para impedir que nos traguen y seamos parias en nuestro propio país!" Y mientras la señora Clarence caía en trance describiendo las bellezas naturales de Puerto Rico, y el uso turístico que debía dárseles, pensó con amargura en las palabras de su amigo: "Terminaremos en una reservación como los indios, o nos asesinarán y encarcelarán como a sus negros. Todos somos negros: los orientales, los árabes, los hispanoamericanos, los hijos del Tercer Mundo, todos los que no son como los dueños del dinero y promotores de las guerras." Germán había callado. Clarence lo observaba fijamente. El mozo había traído otro martini, pero Germán rehusó cortésmente y recorrió con la vista los millones de luces, el vasto, apretujado mercado que se extendía a los pies del formidable hotel de veinte pisos.

Había fumado todos los cigarrillos de la cajetilla, pero no se recriminó. Lo invadía una furia sin nombre. Atravesó el cuarto arrastrando los pies y se examinó culpablemente en el espejo.

NATURALMENTE, NADA impedirá que siga ejerciendo la medicina, aunque le dedique menos tiempo. Pero lo más seguro en estos tiempos de cambios imprevistos es la tierra. Bienes raícès, mis amigos, si quieren ofrecerles un futuro sólido a sus hijos. Este es un país pobre, pero circula el dólar. La cosa es saberlo atrapar. La guerra dejó muchos muertos y enormes pérdidas económicas en Europa y Asia, pero trajo un relativo progreso a Borinquen. Piensen en esas tierras que rodean a Río Piedras y Bayamón, ideales para urbanizar. Es el momento de hacer las inversiones, cuando todavía se puede conseguir un buen lote a bajo precio. Elena, un poco más de hielo, please. Esos miles de veteranos necesitan casa, ahí hay un excelente negocio. Hielo, Elenita. La muchacha está libre y no viene mal que la fiel esclava se ocupe abnegadamente de su marido. Jorgito, Astrid, ¡a la cama! Hay otra realidad: éste es un país de gobierno estable. El peligro del cuarenta pasó, el Vate se dejó de soñar musarañas y de poesías y se encarriló debidamente, realistamente, debo decir. Nada de separatismos. Amalia, no pongas esa cara. Sólo expreso mi opinión, estamos en un país democrático, ¿no? Sergio, Charlie, ¿un whisky? Galgo, el whisky no te hará perder la línea, no tienes por qué preocuparte, te lo digo como médico. Señores, la tierra, la tierra. Yo he vendido buena parte de la tierra que ustedes pisan.

TUVO LA SENSACIÓN de que había combatido toda la noche contra un absurdo sueño, que había querido esforzadamente despertar ayudado por cierta claridad vibrante que permanecía en los pliegues de su conciencia, pero la pesadilla lo había enlazado profundamente. Se incorporó, se calzó las pantuflas y se puso la bata.

Cuando salió de la ducha tropezó con la mujer encinta.

—¿Dentro de tres semanas tendremos un nuevo inquilino?

La mujer sonrió. Siempre sonreía, y Germán no pudo dejar de pensar, con cierto asombro, en las palabras de su amigo: "Somos mansos, sonrientes, y como si quisiéramos que nos perdonaran alguna extraña culpa, un pecado que ha cometido la colectividad y que se manifiesta en cada uno de nosotros."

—Toño dice que voy para burra.

—Está ansioso por conocer a su heredero.

Germán entró en su cuarto y comenzó a acicalarse, frotándose las mejillas para borrar el color del sueño. De repente, una carita rubia y relamida repicó en su cerebro, como quien toca a una puerta. Un nombre le llegó acompañado de un anuncio periodístico: "Preston, Importaciones". Dijo "maricón", y rió. Y en ese instante, mientras estudiaba su sonrisa, percibió la oleada de perfume. Comprobó que llevaba las pastillitas de nitroglicerina en el bolsillo de la chaqueta, salió y cerró la puerta. Mientras bajaba las escaleras se sintió vigoroso, ágil y lleno de optimismo, pensando en la escena que estaba próximo a observar.

Carmen recogía unos papeles del suelo. Vestía lujosamente. Cuando se irguió, mostró el brillo de sus ojos, de los que se habían borrado las estrías anaranjadas. Había acomodado su pelo a un lado de la cara, y sus mejillas lucían reavivadas por los cosméticos. El rojo de los labios era violento, casi lascivo, y sus ademanes, no exentos de la torpeza de mujer que ha tenido que librar grandes batallas con la existencia, parecían suavizados y frágiles. El perfume era el aviso habitual: podía percibirse desde todos los lechos, desde el baño, desde los rincones. Germán consideró la lenidad de la pintura de las mejillas y lo penetrante de la fragancia. Esta sólo parecía armonizar con el rojo intenso de los labios, cuyas grietas aparecían minimizadas por la pintura. Celia hubiera odiado por contraste aquel perfume: le recordaría su juventud privilegiada, rememoraría los refinados consejos de belleza de Preston.

—Buenos días. Está impresionante, Carmen. ¿Tuvo buenas noticias anoche? Si Ramón la viera ahora se derretiría. ¿Qué perfume es ése?

—Me lo regaló Catalina. Su marido no quiere que se perfume, la trata a patadas. Viene llorando, la pobre. La cela hasta del aire.

—Son reglas del juego. Después de la riña las cosas quedan claras. Usted lo sabrá tanto como ella. ¡Lo mucho que les gusta sufrir! Lo dulce que es la paz después de una guerra sin cuartel.

—Esas son cosas suyas. A nadie le gusta que la llamen burra. Véngase, le prepararé el desayuno. Va tarde.

—No olvide que soy casi jefe.

Carmen sonrió y él comprendió que nada podría hacerse con aquellos agresivos dientes que amenazaban morder. Sin embargo, en ese momento la particularidad parecía agregarle cierta gracia. Cuando Carmen sufría esa metamorfosis pasaba todo el día agitada, buscando y rebuscando objetos viejos, barriendo, reacomodando las camas, haciendo una obra maestra al vestir los lechos y asear las habitaciones. El perfume permanecía dos días en todos los lugares tocados por sus manos, y envejecería, se coagularía como un líquido impalpable; al fin se volvería agrio como su mismo carácter una vez pasados esos momentos de gracia. Porque después de la transformación quedaba estropeada y deprimida, como quien al día siguiente de una juerga se siente culpable de sus excesos y arruinada su condición física. Germán no tenía quejas de ella, ni siquiera cuando Celia se había vuelto aquel montón de huesos y la recibía escupiéndole a la cara su origen.

—Créame, Carmen, está impresionante.

—No me eche piropos. Ni siquiera puedo saber cuándo habla en serio.

—No pretenderá negar que tengo buenos ojos, y que no he olvidado apreciar ciertas cosas.

Carmen levantó una mano y lo apuntó con el índice. Tenía una sortija barata en el meñique, con una piedra verde semejante a un ojo perplejo. Sería el recuerdo de quién sabe qué memorable instante.

—No pude dormir tranquila pensando que iba a tocar a la puerta muerto de hambre.

—No la hubiera despertado para pedirle comida. Para eso no.

—Le prepararé un buen desayuno sin sal.

—No me torture. Una gota de sal al menos.

—Más vale estar vivo.

—La alternativa no me hace gracia.

—Bueno, ¿estaré toda la mañana pendiente de sus cuentos?

—A estas alturas deberían subirme el desayuno a mis habitaciones.

La mujer respingó y entró en la cocina-comedor instalada al lado de su cuarto. Tenía persianas de metal y piso de cemento sin pulir. Había una larga mesa pintada de verde, sin duda a la patrona le atraía el verde. La mesa resultaba demasiado grande para la exigua cantidad de inquilinos. Carmen cascó unos huevos y los echó en la sartén, después puso a calentar la leche. Germán se sentó frente al grabado del Sagrado Corazón y apoyó las manos en el borde de la mesa como sobre el teclado de una máquina de escribir. Le pareció descubrir la huella del anillo en su anular.

—¿Nunca ha soñado con el caño? —dijo—. Anoche tuve un sueño raro.

Carmen ordenaba unos platos en la alacena.

—Que él había pasado por ahí con la otra —dijo—. Siguieron de largo y se metieron en el agua.

—Es interesante. Fíjese que hay mucha suciedad, el agua está podrida y apesta. No los quiere bien.

—Me alegré de que se hubieran ahogado aunque fuera en sueños.

—Pobre Ramón. No use el incienso contra él.

Observó el Corazón de Jesús, ese símbolo de la abnegación y el sufrimiento. Un sufrimiento que, pensó, cubría el mundo como un paraguas evitando que la Gracia o la Misericordia o la Bondad del Salvador se derramara sobre las muchedumbres del planeta como lluvia que refrescara las zonas más áridas. El sufrimiento subsistía tenazmente, se le podía descubrir en cualquier sitio: ante el altar de una iglesia, en un taller, en el recuerdo de su padre, en Celia, en el hombre que encontró al bajar de un autobús: estaba parado en una esquina, la chaqueta estrujada, el cuello de la camisa abullonado, un poco sucio, el rostro perplejo, los labios entreabiertos; notó los ojos agrandados por la incertidumbre y por lo que se ocultaba detrás de esa incertidumbre: la sorpresa de poder resistir quién sabe qué amargura y seguir viviendo, la encerrona donde el espíritu se debate contra fuerzas irresistibles. Había reconocido en aquel rostro el dolor sin escape, la suma del sufrimiento, el climax tras el cual sólo queda el abismo. Y tuvo la certeza de que aquel hombre, agobiado quién sabe por qué tara moral, cometería un acto atroz.

La mujer encinta entró anadeando, seguida de su marido. Carmen se volvió y afectó no ver al hombre.

—¿Cómo estás?

Catalina sonrió y buscó con la vista una silla.

—Creo que de hoy no paso.

—El médico no sabe nada —intervino el hombre—. Sólo explotar a los pobres.

—¿Está agremiado? —le preguntó Germán.

—¿Yo? ¿Para qué?

—Tendría derecho a plan médico, vacaciones, protección ante la empresa...

—Los líderes obreros están ricos —contestó el hombre.

—A éste no le interesa nada de eso —dijo Catalina.

El hombre la miró con ironía.

—Sigue, explícale qué es un sindicato.

La mujer calló con humilde resentimiento. Germán tenía los labios apretados. Afuera, en la avenida, crecía el rumor del tráfico. Germán dio dos golpecitos en la mesa y se levantó.

—Vendré tempranito, Carmen.

—No se quede mirando las vitrinas. Le hace daño.

—¿Verdad que está impresionante hoy?

—Remozada —replicó el hombre.

Carmen se puso a refunfuñar. Germán salió. La mañana estaba fresca. Veremos qué noticias tiene Clarence. Los niños iniciaban sus juegos en la calle.

SORDO ABEJEO DE VOCES, chillidos, rumor concreto y profundo. Las campanillas de los heladeros repican en el calor, siembran momentáneas esperanzas de frescura en el fulgurante aire poblado de banderines, de estandartes, de carteles. Huele a sudor, a tierra apisonada y rociada para conjurar los fantasmas del polvo, a cal derramada entre carriles, a uniformes deportivos. Vibra de multitud juvenil el estadio. Ribeteadas de lila, pupilas doradas lo observan desde la verja de alambre eslabonado, el cabello desmayado doradamente sobre las húmedas vellosidades del cuello. El brazo de Jorge rodea la cintura de Elena.

—¡Universidad, Universidad, ra ra ra!

—¡Tienes que romper el record!

Sonríe dando saltos, circulando, sí, trataré, nervioso, en forma, rebosante de energía, como nunca, en condiciones óptimas. Los músculos de sus piernas son de poderoso caucho saltarín, los nervios responden ciegamente, reflejos inmejorables. Bandadas de chicas uniformadas se desplazan tras la verja, "Universidad, Politécnico, Colegio, ¡ra ra ra!" Una sola voz estruendosa al fondo, un murmullo retumbante. Así debía de sentirse un matador en el ruedo, contemplado, aguijoneado por millares de ojos, de voces, de puños en alto, de banderines. Más allá lanzan la jabalina, revolean el martillo, deslizan pesadamente el disco. Exclamaciones aisladas se escapan desde el estadio. En sus marcas. El abejeo humano se contiene aguantando la respiración. En sus marcas. A lo ancho de la pista, se instalan escalonadamente. En sus marcas.

—¡Tienes que vencer!

Sí, vencerá, vencerá. Con la mano en alto, junto a los nerviosos corredores, el juez de salida oprime el disparador. ¡Pac! Arrancada perfecta. Una mancha multicolor alargada a su costado, una hormigueante composición de colores relampagueantes, un compacto fresco que se desdibuja en el rabo de su ojo, una presencia zumbante. La tierra dorada, el vislumbrado fantasma de unos árboles imposibles de señalar, el cielo luminoso y aplastante, el disco relumbrando momentáneamente en el centro del terreno, chicos mirándolo con las caras aplastadas contra la verja, los auxiliares de pista aproximándose vertiginosamente. Reconoce la facilidad con que va ganando, la perfecta condición de sus piernas, la rítmica respiración de su pecho, el admirable dominio de sus músculos. La pista se extiende vacía ante sus ojos, suya, para recorrerla ordenadamente pensando en los que vienen rezagados. Distancia y velocidad. Apenas siente cuando la cinta estalla en su pecho; da un rodeo, caracolea. El denso tejido humano apretujado en el estadio brama, patalea, silba. Un torbellino lo iza, lo mueve junto a la verja, ¡ra ra ra! Destellos de ojos, movimientos de manos y cabezas, sol incandescente. El juez de pista golpea su cronómetro con el índice:

—Fantástico, muchacho, fantástico.

—¡Universidad, Universidad, ra ra ra!

—¡Galgo, Galgo, ra ra ra!

Sus pies logran tocar el suelo. Camina con un denso burbujeo recorriéndole el cuerpo. Aplauden. Lo aplauden.

Esos aplausos son dirigidos a él. Agitan banderines. Zumban. Cataratas de sudor, como si le hubieran arrojado un balde de agua por la cabeza.

—Agua, por favor.

—Sólo un poco, Galgo. Perdón, ¿cómo te llamas?

—Germán.

—Un momento, mira hacia acá. Así. Sonríe, has vencido. Así.

Clic. Cámaras fotográficas disparando clic. Clic.

—Deja que te abrace.

Amalia llora sobre su hombro salado, tostado, rojizo. Lo abarca el brazo del profesor.

—¿Cómo estás? Galgo, eres un galgo. Destrozaste el record así como si nada. Volaste, muchacho. ¿Te sientes bien? ¿Cómo hiciste? No lucías tan bien en las prácticas. ¡Qué sorpresa, Germán!

—¿Cómo se llama el héroe?

—Germán Ramos.

—¿Qué edad tienes?

—Veinte.

—¿Estarías dispuesto a representar a nuestro país en las próximas justas en México.

—Claro, orgulloso yo.

Los banderines flotan por él, lo aturde un prolongado "¡ra ra ra, Galgo ra ra ra!" Amalia se aleja entre la multitud; distingue su pobre vestimenta, el talle demasiado alto. Las otras chicas visten con el talle bajo, un largo collar al cuello, el pelo corto y los ojos sombreados.

—Un momentito, por favor. Mira acá. Así.

—Georgie, que nos retraten con Germán. Ven, Georgie.

—Bien. En el medio, él en el medio. Ustedes se acercan para felicitarlo. Un abrazo, así. Pero no le oculten la cara. Perfecto.

—Oí decir de una beca —dice Jorge—. Te has salvado. Eras bueno desde la escuela superior, ¿recuerdas?

—Sí, recuerdo.

Sergio le estrecha la mano, lo zangolotea.

—Esto hay que celebrarlo, *One day yes*.

—Los invito a casa, ¿está bien, Georgie? A la noche, ¿qué les parece?

—Llévate el traje de baño, *One day yes*. ¿No has estado en casa de Elena? ¡Qué playa, qué mar! Isla Verde. Es mejor morirse.

—Hay que avisárselo a Amalia, Elenita. Sergio, ¿te acuerdas que era un galgo en la escuela superior?

—Saldrá en todos los periódicos.

—Elena y yo también vamos a salir.

—Entonces nos veremos esta noche, *One day yes*.

—No faltes. Todos te esperaremos.

—Sin él no hay fiesta, ¿verdad Georgie?

—No faltaré. Hasta la noche. Quiero descansar un poco. Dame tu dirección, Elena. ¿Tengo que llevar chaqueta?

EN LOS BANCOS de la Plaza de Colón, adosados a lo largo de los muros bajo robles irregulares y polvorientos, empezaban a agruparse los desocupados. La estatua de bronce verdoso de tiempo se dibujaba más arriba de las copas de los árboles, sobre la claridad cegante del cielo. El 12 de octubre de cada año la abarrotaban de grandes coronas florales. Funcionarios del Municipio, profesores, estudiantes y diversas organizaciones cívicas se congregaban a lo largo del día para rendir homenaje al Almirante. Discursos y gestos solemnes. Un mes después, el 19 de noviembre, aniversario del Descubrimiento, sucedía otro tanto, pero esta vez acudían racimos de jóvenes exaltados y bulliciosos, portando banderas, pancartas y escarapelas, a vitorear encendidamente las arengas de los dirigentes independentistas. Al día siguiente aparecían las fotos, sepultadas en las últimas páginas de los diarios, guarnecidas de banderas, pancartas con consignas revolucionarias y puños en alto. No es una mala estatua, pensó Germán, pero la voz de Meléndez chirrió en su cerebro. "¿Vio la de Baldorioty en el Condado? Un pedacito de bronce sin orgullo, forjado de acuerdo a la estrechez de la mentalidad reinante. Le rindieron ese tímido homenaje porque era al fin y al cabo un autonomista, no un revolucionario. ¿Por qué no le hacen una buena estatua a Betances? Es claro. Betances era peligroso durante la época española, y sigue siéndolo hoy, después de muerto. Quiero decir que sus ideas están tan vivas como hace un siglo". Quiso responderle no sabía bien qué, pero el médico lo acompañaba hasta la puerta recomendándole cuidados profesionales. Ordenó a la secretaria que hiciera pasar al próximo cliente y añadió en voz baja y enérgica: "Necesitamos obras de afirmación nacional, que reflejen orgullo de lo propio, de lo nuestro. Un conjunto escultórico sobre el Grito de Lares y la proclamación de la República, por ejemplo. Cuando vi por primera vez el monumento a Juárez, en México, tuve que hacerme el fuerte para que no se me saltaran las lágrimas; fue un estremecimiento que todavía me dura. ¡Qué gran pueblo el que reconoce con orgullo y honra a sus grandes hombres!" La gesticulante imagen se interrumpió como la proyección deficiente de un film. La voz persistió un momento

("Soberanía, destino nacional"), apagándose en los ruídos de la calle.

Un auto hizo chillar estrepitosamente los neumáticos. Desde las aceras, desde la Plaza, desde los balcones bañados de sol lo contemplaban boquiabiertos. Pudiste terminar ahí, un final modestísimo y apropiado. Antiguo Agente de Seguros Arrollado por Carro. Peatones achacan muerte al atolondramiento del occiso. A nadie se le ocurriría pensar que Meléndez tenía buena parte de la culpa, como si hubiera sido su propio carro y hubiera esperado el momento oportuno para tirármelo encima. No lo veré más, es injusto, se desquita conmigo porque tengo la paciencia de escucharlo, como cardiólogo es lo más especial que conozco; dice que nos complementamos, ¿cómo, de qué manera? Como el punching bag y el puño. Resulta que soy culpable de lo que pasa en este país, que por cada contrato que he conseguido para la compañía donde me gano el pan he entregado una porción de la Isla. No lo veré más, sabe demasiado, tiene una explicación para todo, pero, ¿quién soy yo? Sólo pretendo vivir en paz como cualquiera.

Una columna de automóviles aguardaba el momento de poder adelantar unas pulgadas. Los motores resollaban de calor y se resfriaba en el aire tufo del gas de los escapes entre los edificios. Apareció la bahía con sus aguas blanquecinas, sus barcos, sus lanchas y remolcadores. En la otra orilla se explayaba Cataño, las doradas arenas salpicadas de montones de basura, las casas desamparadas ante la incolora planicie del mar. Alrededor se encabritaban mogotes de vegetación encrespada, y lejos, los montes ondulaban hacia el interior de la Isla volviéndose espejismos azules. Una visión instantánea, impresa como un cromo turístico en la retina.

El empedrado había sido enterrado bajo una capa de hormigón. En las bocas de los callejones, donde la brisa salitrosa soplaba a breves ramalazos, ofrecían queso rústico, pastas de naranja y guayaba, crucifijos, medallas, billetes de lotería. Olía a café, a grasa de pastelillos, a alcantarilla, a escape de gas. Fragancias femeninas se prendían inopinadamente de las narices, y el sudor, a esa hora en que el calor empezaba a adensarse, arrojaba las primeras tufaradas. En los oscuros bares de pisos acolchados con serrín algunos hombres habían empezado a beber, o continuaban la juerga de la víspera. Una mujeruca con la pintura corrida en las mejillas le clavó unos ojos adormilados y melancólicos. Embriagados de sol, grupos de turistas curioseaban en los puestos de chucherías nativas, sacudiendo maracas, atrozmente tropicales, entre paisajitos de cocoteros y flamboyanes encendidos. Vejetes con periódicos bajo el brazo desgranaban las horas parloteando de política en cafés y portales. Aparecían sujetos acicalados según la última moda, llamando la atención en el panorama gris de los empleados públicos. En un puesto de periódicos, los titulares anunciaban la posible concesión de las minas de cobre a una compañía norteamericana. Germán se cerró a cualquier intervención inoportuna, fijándose con esforzada atención en la vitrina de una tienda de discos; desprendíanse tonadas aletargadas de olvidos y palmeras; entre melancolía y melancolía aullaban los cantantes de rock. De pronto, al reanudar la marcha, creyó reconocer una cara. ¿Un excondiscípulo? Volvió la cabeza, parado en el bordillo para no interrumpir a los peatones, y contempló con interés la nuca plana, los hombros caídos que desaparecían en un cruce. No pudo identificarlo. ¿Habría sido invitado a la velada de fin de mes? De súbito apareció ante sus ojos la invitación con un detalle que curiosamente había olvidado: encima de las palabras impresas en letra dorada una mano había escrito con clara caligrafía femenina: "No faltes, todos te esperamos". Le había parecido, a pesar del tiempo transcurrido, la letra de Amalia. ¿Cómo había podido olvidar semejante mensaje?

La convicción de la felicidad futura entre sus viejos amigos lo animó y lo hizo apresurar el paso. Recordó los consejos de su médico. Al diablo el viejo gruñón, se dijo, y sonrió, deteniéndose ante el ascensor. Un joven con espejuelos de concha y una mujer de pelo gris aguardaban mirando a lo alto de la puerta.

—Un día estupendo —declaró Germán—. A pesar de que ahí están las lluvias de mayo esperando a que uno salga sin paraguas.

La mujer lo miró.

—¿Me lo dice? Ayer llegué entripada por hacerle caso al hombre del tiempo. Nunca acierta. Que va a llover y hace un sol como para irse a la playa, que va a hacer sol y viene un diluvio. Yo le llevo la contraria, por si acaso.

El joven vaciló, luego dijo:

—Ahora le echan toda la culpa —miraba a la mujer con cierta perplejidad—. Cabe un margen de equivocación, nadie es perfecto. Los meteorólogos, que se han quemado las pestañas estudiando, utilizan equipos de radar, tienen la ciencia de su parte.

—Yo estoy por creer que de nada les sirve.

—Creer, ¡qué palabrita!

—¿Entonces usted no cree en nada?

—¡Lo sabía! —repuso el joven, y miró a Germán buscando apoyo—. Sabía que me vendría con eso. Señora, se cree en Dios, en el más allá, etcétera, pero cuando se trata de fenómenos naturales ya no es cuestión de creencias o de fe. En la esfera de lo natural todo es explicable mediante la razón. Las creencias, supersticiones y mitos en la mayoría de los casos responden a la confusión y a la ignorancia.

Germán no perdía palabra, preguntándose si alguna vez se había interesado realmente en las cosas que decían los otros. ¿O había permanecido inmerso en sí mismo, sordo a las preocupaciones y conflictos de los otros? ¿No había pasado demasiado tiempo silencioso, hablando sólo lo estrictamente necesario para subsistir? El mundo estaba asombrosamente lleno de palabras; no eran sólo sonidos, sino signos que llevaban una carga profunda —reflejaban la vida, la proximidad de la muerte. Bastó, pensó mientras subían en el ascensor, un comentario cualquiera para que se iniciara el extraño juego de las relaciones.

—Mientras la ciencia no suplante en este país a las corazonadas, mitos y supersticiones, no habrá progreso verdadero.

La mujer lo contemplaba ofendida.

—Pues yo seré anticuada, pero no me da la gana de convertir la ciencia en ídolo. ¿No es también superstición? Contésteme, usted que lo sabe todo.

—¿Quién ha dicho semejante cosa? —rió despectivamente el joven—. No se trata de idolatrarla, sino de servirse de ella. Tal vez no me he explicado bien, señora, y no ha podido entenderme.

—Soy una retrógrada, ¿verdad? ¿Eso es lo que quiere decir?

—No quise decir eso, señora —la escrutó encogiéndose; sus manos subieron hasta el pecho—. No quise ofenderla, créame que no soy capaz de...

La puerta se abrió y entraron en un largo corredor alfombrado, orillado de puertas de cristal. Una mujer uniformada barría sin alzar la cara. Entraban y salían hombres vestidos de oscuro, con portafolios y maletines de cuero. Por los resquicios de las puertas se filtraba un airecito frío que olía a nuevo, a cosa limpia y refrigerada. Retrógrada; la palabra había saltado mostrando una zona oscura, no resuelta. Pudo ser una manera de pedir socorro, pensó siguiendo la huella en el semblante del joven: "No quise decir eso, señora, no quise ofenderla". Podría suceder que al meterse en la cama esa noche lo asaltara su propia risa despectiva; bajo la sábana recordaría las reacciones de la mujer, tal vez descubriría una lágrima. Los vio detenerse junto a una puerta en el fondo del pasillo, ella altiva ahora, mirándole exigentemente a la cara; él encorvado, la barbilla hundida en el pecho como si la culpa germinara poderosamente.

Germán empujó una puerta y se encontró en medio de una sala con muebles de metal. Dos hombres lo miraban en silencio. Se excusó y salió de prisa, profundamente contrariado. Si llega a ser un barranco te matas. Dos puertas después encontró el letrero: *OHIO INSURANCE*.

Era una sala amplia y alfombrada, con iluminación indirecta. En las paredes había cuadros con escenas campestres de la Isla y un nevado paisaje de Ohio. Detrás de la baranda tecleaban una rubia ajada, de busto prominente y piernas de pájaro, y una chica de pelo castaño y ondulado que miraba al mundo con grandes ojos atónitos. La rubia Maribel solía lamentarse de que Luisa no hacía más que coquetear con los agentes de seguros, quienes se agrupaban fumando copiosamente al otro lado de la baranda, bulliciosos como colegiales.

Luisa le alcanzaba el portafolio.

—No sé cómo puede olvidarlo— le pareció que los ojos de los agentes se clavaban en él con ironía. Descuidado, se reprochó mientras los saludaba con una sonrisa.

Luisa osciló las nalgas hasta su silla; Maribel no la miró; tecleaba con los ojos incrustados furiosamente en su máquina. Germán se preguntó si alguna vez se había dignado reparar en ese insignificante conflicto diario.

Mientras hacía anotaciones de ventas y cobros en la pizarra, se sintió feliz. Ese momento era tan parte de su rutina como bajar del autobús, saludar a los vecinos, calzar las pantuflas escuchando a Carmen arrullar su gato y recordar un difícil diálogo con Celia.

Hoy todo parecía tranquilo y agradable en la oficina. Clarence había arribado no sin causar ciertas conmociones. Por ejemplo, el caso del subgerente Roque, quien había consolidado con su entusiasmo y trabajo de años la compañía, considerada ahora entre las más importantes del país. Cuando el gerente Miller fue trasladado a Venezuela, todos dedujeron que Roque ocuparía su puesto. Pero llegaron de Nueva York los accionistas, lo agasajaron a lo largo de una semana empapada de martinis y se marcharon sin una palabra. Durante tres meses Roque encabezó eficazmente la empresa. Comenzando el cuarto, apareció Clarence, presentó sus credenciales y le prometió aumentarle el sueldo. Roque le agradeció el ofrecimiento, se volvió, muy sereno, y se fue a su mesa de trabajo. Esa mañana estaban presentes todos los agentes. Lo vieron sentarse, insertar un pliego en la máquina de escribir y golpear las teclas con los índices. Cruzó entre las secretarias, quienes lo observaban conmovidas, y entró sin llamar en la oficina del nuevo gerente. Salió en seguida. Al poco rato Clarence abrió precipitadamente la puerta y se lanzó en su persecución. Regresó con cara tragicómica, murmurando "oh boy, oh boy", la chaqueta abierta sobre el vientre, la delgada corbata aprisionada por una minúscula perla; paseó la vista sobre los torvos semblantes de los agentes y, en un inglés gangoso, salpicado de palabritas en un español ininteligible, inició una relación de sus obligaciones como cabeza de la empresa. Los exhortó a trabajar armoniosamente, con sentido de equipo, y a considerarse integrantes de una prestigiosa familia. "No ignoro que entre ustedes hay quienes están capacitados para asumir la responsabilidad que se me ha confiado, que la experiencia cuenta mucho, muchísimo, pero nuestros accionistas han decidido poner en práctica nuevos métodos de venta y operar de acuerdo con los últimos descubrimientos en publicidad y marketing. Les aseguro que tendrán en mí un amigo y que serán recompensados de acuerdo a sus méritos." Se volvió, pasó las batientes y entró de tres zancadas en su oficina. La semana siguiente renunciaron tres agentes, y Germán se había torturado pensando si debía presentar su dimisión en señal de solidaridad con su viejo amigo Roque. Perplejo, Clarence llamó a los supervisores y sostuvo con ellos una larga y entrecortada charla; luego quedó a solas con Germán. Entre bocanadas de humo recordó la entrevista efectuada en el Sheraton la semana anterior y, con una sonrisa que Germán consideró untuosa y cómplice, comentó que su esposa Beverly había quedado fascinada por el espectáculo que ofrecía la ciudad desde aquel piso veinte. "También quedó impresionada con usted," añadió, "y con el dominio que tiene del inglés."

Germán guardó silencio, sintiéndose extrañamente culpable. "Miller me había hablado de usted", continuó Clarence, "y creo que es la persona ideal para reemplazar a mister Roque; ha llegado el momento que esperaba." Germán lo escrudiñó con sorpresa. "No he estado esperando este momento", respondió mientras Celia alzaba la cara y le gritaba don nadie, conformista. "Se ha equivocado, Clarence; no quiero más responsabilidades de las que tengo." El gerente no salía de su asombro. "¿Cómo dice? ¿No quiere la plaza?" Germán sacudió la cabeza. "Quiero continuar donde estoy, simplemente." Clarence encendió un cigarrillo con la colilla de otro. "A nadie se le ocurre rechazar un salario más alto y un puesto de indudable prestigio", dijo "sobre todo tratándose de una persona idónea como usted; podría desenvolverse perfectamente y sin esfuerzo." Germán pensó: es ella, y dijo: "¿No ha considerado a Ríos? Nadie puede poner en duda su capacidad." Clarence parecía más asombrado aún. "¿Recomienda a otro en perjuicio suyo? Raro, muy raro." "No es raro", respondió Germán, "y no es en perjuicio mío; me parece lógico que el puesto se le dé a quien le corresponde por más de una razón." Clarence emergió de una nube de humo. Dijo: "Suena bien, incluso honorable, y es señal de un desprendimiento que personalmente admiro, pero contésteme francamente, ¿no le interesa progresar?" Germán lo observó: Celia había usurpado la silla del gerente. "Ya no", contestó mirando los deditos tabacosos golpear levemente el escritorio. "Usted es joven, por eso no me entiende." Observó el diploma enmarcado en dorado: PRINCETON. Celia lo devoraba con una mirada irónica, mascullando improperios. Sintió un malestar atroz. Clarence dijo: "Oh, ese conformismo suyo."

"No se meta en eso", lo miró a los ojos disimulando una llama de furia. "Descárteme, soy conformista, no quiero progresar, sólo quiero quedarme donde estoy, ¿se extraña demasiado?" Clarence seguía con la vista un anillo de humo. "Lástima, la ambición es el motor de nuestro sistema. ¿Me había dicho que aprendió el inglés en la universidad?" El humo se espesaba. "Lo enseñan desde el primer grado de primaria, obligatoriamente." "Oh, eso es estupendo, ¿no le parece?" Germán no respondió; se levantó y salió tras murmurar los buenos días. Meléndez lo espiaba socarronamente. Movía los labios, pero no lograba escuchar sus palabras.

Germán continuaba conferenciando con los agentes. Clarence se encaminó elásticamente hacia Maribel y le dejó unos folios. Vestía hoy un pesado traje oscuro, corbata roja y llevaba un clavel en la solapa. Pudo llamar a la secretaria a su despacho, pero la impaciencia lo empujaba constantemente fuera de su cómodo cubículo. Se metía en él con las primeras luces del día y se marchaba poco después del atardecer. A mediodía solía quedarse encerrado con un sandwich que traía de casa. Desde su llegada, los empleados habían aprendido la mínima protesta del intercambio de guiñadas irónicas. Germán miró a su alrededor inútilmente, porque desde el primer vistazo había advertido la ausencia de González. Has descuidado ese asunto, se dijo, escuchando las palabras inglesas en el intercomunicador. Antes de que Luisa se lo indicara, se dirigió a la oficina. El tecleo de las máquinas de escribir y las charlas de los agentes sonaron acolchadas. Notó que Clarence había hecho colocar un arbusto de plástico en una esquina. Junto al diploma de Princeton —que le causaba cierta secreta desazón— resplandecía la cara ruda, roja y madura de un hombre de melena blanca. Tenía un texto en inglés, en letras doradas y góticas, relativo a la ayuda que el Señor había prestado a la empresa para su consolidación y progreso; debajo aparecía el facsímil de la firma de Benjamín Franklin. Meléndez pegaría un salto, machacaría la pared con el puño, escupiría el grabado. *Ellos* son distintos, pensó Germán, casi alegre, y de momento volvió a su memoria, sin razón precisa, la estatua de Colón, y difusamente, la de Baldorioty, pequeña y desolada.

Sobre el escritorio reposaba un paquete envuelto en papel a colores con una tarjetita escrita a mano.

—Es el regalo de aniversario —declaró Clarence, despejado y animoso—. Cumplimos cuatro años de vida matrimonial. Y sin disgustos, ¿qué le parece?

—Felicidades.

—Me puse este traje, pesado e inconveniente para este clima de ustedes, pero a Beverly le encanta. ¿Le dije que nunca habíamos tenido un disgusto serio? Pues falso. Una vez reñimos agriamente por culpa de los Roberts, una familia como las demás, sólo que resultaban imposibles cuando se ponían a jactarse de sus viajes por el mundo. Yo les había ofrecido un coctel después de su última excursión por Asia. Beverly esperó el momento oportuno para decirles: "A Joe le han ofrecido la gerencia de la Ohio en Puerto Rico, pero todavía no sabe si la acepte." Mia Roberts la miró con superioridad y respondió: "¿Esa isla llena de indios? Que no lo acepte, querida." Como es natural, Beverly tuvo razones para odiarlos. Tanto Thomas como Mia Roberts parecían considerar esta isla como, ¿qué diré?, poca cosa. Se fueron cuchicheando y riéndose. Beverly rompió las copas donde habían bebido. ¡Me imagino las charlas que tendrían con los Anderson, que habían regresado de París hacía sólo dos días! Entonces fue cuando Beverly me riñó acusándome de estúpido por haberlos invitado a casa, ¿ve el punto?, y se encerró una semana sin querer recibir a nadie, ni siquiera a Betty Carson, su amiga íntima. "Vienen a burlarse", decía, "vienen a burlarse." Yo trataba de calmarla. Me gritaba: "No aceptes el trabajo en ese sitio, no lo aceptes." Pero logré apaciguarla mostrándole mapas de este país, sus bellas playas, sus palmares al atardecer. Además, le juré vengarla. Así que esperé a que Tom Roberts saliera como de costumbre a limpiar su patio. Tenía mi discurso bien aprendido. Me recosté en su verja, y después de hablar del tiempo y del campeonato de la Liga Americana, dije como quien no quiere la cosa: "Oye, Tommy, ¿cuándo emprendes otro viaje por esos mundos?" Mientras barría las hojas me dijo: "Oh, de aquí a cuatro meses." Le dije: "¿Cuánto tiempo estarán fuera?" Contestó que otros cuatro. Le dije que eso era bastante tiempo y me respondió: "Estaremos un mes visitando los parientes de Mia en Escocia, y luego trataremos de visitar los países del Telón de Hierro; todo eso toma tiempo, no es como visitar una islita por ahí." Confieso que tragué gordo. Se reía mientras Mia le traía un scotch y le preguntaba cuál era el chiste; se lo dijo, claro, y estuve allí viendo cómo lo celebraban como si hubiera sido lo más gracioso del mundo. Pero mantuve la sangre fría. Esperé a que Mia se fuera a preparar la barbacoa en el otro lado del patio para decirle: "¿Mia se habrá enterado de que Puerto Rico, que no está lleno de indios porque los españoles los exterminaron a todos, es parte también de nuestra nación, tanto como Nebraska o Texas? O no tanto, pero vamos, sus nativos son ciudadanos tan leales como tú y yo. ¿Sabía Mia que insultar este sitio es insultar a su propia bandera y a su himno, Tommy?

Tommy se quedó callado. Entendió, naturalmente, estudió en Princeton.

Germán apretaba los puños sobre sus rodillas.

—¿Puede decirme para qué me llamó, Clarence?

Los ojos azules lo miraron sin expresión.

—El matrimonio es una institución sagrada, ¿no cree? Pero vamos al grano —tiró de una gaveta y le alcanzó un pliego con un retrato—. Es el mejor candidato hasta la fecha.

Escudriñó la foto: una cara limpia, lampiña y agresiva; el pelo ondulado y oscuro, la pose semejante a la de ciertos galanes de Hollywood. La ciudad se había ido llenando prodigiosamente de esas caras, distinguibles por su apariencia de innegable osadía.

—¿Tiene experiencia?

—Ahí está su record. Llegó a ser supervisor.

—¿Y va a trabajar de agente?

—Por ahora no le queda otro remedio.

—¿Con cuáles compañías ha trabajado?

—Oh, aquí no, pero en La Habana... Es cubano.

—Veo —repuso Germán—. Supervisor. ¿No le dijo que había sido gerente?

—En Miami lo tenían para subgerente.

Germán lo miró pensando que hablaba en broma, pero parecía muy convencido. Clarence e Inmigración hablaban la misma lengua. Inmigración abría generosamente las puertas de la Isla a decenas de millares de extranjeros. "Se están quedando con los puestos claves", gritó Meléndez, "con el respaldo de los yanquis; vienen a ayudar a quebrar la resistencia patriótica de este pueblo; un elemento más en los planes de asimilación; pasó también con los enemigos de la independencia de nuestra América: huían de la libertad y venían a dar a la colonia a engrosar las filas reaccionarias; acabarán por considerarnos el basurero de América."

—Que espere a que abramos otra zona —repuso con voz bronca—. Las mías están completas.

—¿Y González?

—Le vende un seguro de vida a una piedra.

—Voy a despedirlo, ¿qué le parece?

—Injusto. No sólo lleva años en la compañía, sino que tiene un cuadro de hijos. Deje ese asunto en mis manos.

—¿Quién se hará cargo de su territorio mientras tanto? Sus otros agente están muy ocupados. Lo mejor es despedirlo y buscar reemplazo.

—Yo me hago cargo.

—¿Qué?

—Del territorio de González. Lleva años con la empresa.

Clarence lo miró con desconfianza.

—¿Usted?

—Yo. Se extraña de todo, Clarence.

—Es un trabajo fatigoso. ¿Olvida que tiene un padecimiento cardíaco?

—Lo recuerdo muy bien.

—¿Olvida que ya no es joven?

—Me siento inmejorablemente —respondió con tenacidad.

Clarence se puso a pasear de una pared a otra, fumando.

—No se exalte, mister Ramos. Si se empeña, acepto. Vaya casa por casa y trate de cobrar todas las primas atrasadas. Explíqueles que pronto tendrán un agente que les visitará con regularidad. Tráigame un informe escrito, detallado, sobre la situación de esa zona —se detuvo y lo miró con repentina rebeldía—. Y quiero hacerle claro que en lo que se refiere a González no ha actuado correctamente. Lo responsabilizo por los contratiempos que esto pueda ocasionar.

Germán se levantó.

—No pensaba ingresar en su universidad cuando ya andaba yo buscándole clientes a la compañía —dijo.

Clarence lo miró, impersonal, aplastando el cigarrillo en el cenicero de cromio.

—Para los fines de la empresa poco importa su comentario —respondió.

Germán salió. La sangre percutía en sus sienes, zumbaba en sus oídos, crepitaba en sus venas. Tenía las manos frías, y le subía un sabor amargo al paladar. Maldita sea, se dijo, reconociendo con sordo disgusto que en parte, en lo de González, Clarence tenía razón. Meléndez lo vigilaba desde un palco: no se habría perdido ni un solo gesto de la función y ahora aplaudía, clac clac, se inclinaba hacia un vecino y comentaba con satisfacción que la escena había confirmado sus tesis. Lo hubiera escupido.

Orilló la plaza de Colón hacia la parada de autobuses. El sol de las diez centelleaba en los cristales de los vehículos, constelaba de fulgores las vitrinas, anegaba el empedrado, mordía su piel. Por las puertas de los autobuses se derramaba un gentío. El sudor empezaba a chorrear.

Lo esperaba una jornada ardua, pero se prometió no apurarse demasiado. ¿Para qué? ¿Por quién? ¿Por qué vas a reventarte? Si no podía cubrir el distrito hoy, probablemente lo lograría en media jornada más. Hombres, mujeres y niños pasaban lentamente a su lado. Ruido de motores, voces. Olía a gasolina, a lubricante quemado. Frente al Teatro Tapia un policía lanzaba silbatazos a los automovilistas. En el murallón del Fuerte San Cristóbal, manos empecinadas habían escrito grandes consignas políticas. En una boca entre los espesos muros centenarios había enclavada una posta con letreros en inglés. Columbró al centinela; llevaba casco y brazalete, portaba pistola y miraba distraído hacia la calle.

Germán pensó absurdamente que muy bien podía tratarse de Clarence.

La música es suave como la noche que rodea la terraza, como el olor de los jazmines en grandes tiestos de terracota, como la voz de Amalia, semejante a la consistencia de la bebida que toma a sorbos. A ambos lados y detrás de la casa, en la arena, bajo los destellos de las estrellas, la brisa marina bate los brazos de los cocoteros con un rumor espeso y desflecado, arrancándoles de vez en cuando acordes de clavicordio. Dedos de espuma avanzan y retroceden en el litoral, saltando sobre caracoles, estrellas de mar, desperdicios, piedras chatas y multicolores, bañando la arena de donde aún no se ha borrado la huella de los cuerpos humanos.

—Ven, Germán.

Apresa la mano, la mejilla dorada se adhiere a la suya. El cuerpo es acogedor. Un ángulo mullido se oprime en lo alto de su muslo prendiendo secretos fusilazos en sus nervios, hormigueando en sus huesos, incendiándole la sangre con un enjambre de cocuyos sonoros, derramando una salpicadura espumosa dentro de su vientre. (Amalia vuelve la espalda, contempla la noche estriada de fulgores más allá del acantilado donde el mar golpea con estallido de látigo.) La respiración dorada huele a menta. Los pequeños senos, apretados bajo el traje descotado y blanquísimo, palpitan como peces en su pecho. Germán siente la seda momentánea del cutis bajo sus labios. La mejilla de Elena se aparta bruscamente.

—¡Estás loco!

Se aleja contoneándose. Amalia le ha estado mirando, y Germán enrojece violentamente.

—¿Bailamos?

Los espejuelos se hincan en su mejilla. Un cuerpo nervudo, ligero, sin temperatura. Huele a remedio, a vendaje, a consultorio médico.

—¿Estás contento? Hiciste una carrera admirable. La gente estaba boquiabierta. Verdad que parecías un galgo.

—Quién sabe si ni siquiera hubiera llegado hasta la universidad si no es por ti.

—No me gustan mucho los cumplidos.

—No es un cumplido. ¿Por qué estás tan seria?

—¿Yo? ¿Estoy seria?

—Tienes cara de pocos amigos.

—¿No se te ocurre otra cosa? De pocos amigos, como en los muñequitos. Otra cosa sería mejor.

—¿Lo ves? Estás enfadada.

—Es culpa de mi cara. Refleja cosas que no siento, por su cuenta. Por dentro estoy contenta, ¿cómo no lo voy a estar?

—¿Ya no serás monja?

—Claro que no. Ahora puedo tolerarme mejor. ¡Me veía tan fea en el espejo, que me ponía mística! Pero ésa no es mi línea. He cambiado. Hasta cierto punto, quiero decir. ¿Qué haré de mi vida entonces? Me arrepiento de haber entrado en la universidad en vez de ponerme a estudiar enfermería. ¿Qué piensas seguir?

—Leyes.

—Puede ser una carrera tan bonita.

—Mi padre está loco con la idea. Para él esa carrera significa mucho, justicia, equidad, lucha.

—Lo sé. Será una bella profesión para ti.

—No sabía que bailaras tan bien, Amalia.

—¿Otro cumplido? Elena es una estrella. Todo lo hace bien, ¿verdad? Todo.

—No baila tan bien, me parece —Germán elude su mirada—. Bien no baila.

—Es una muchacha con suerte. Bonita, y nunca ha pasado hambre. Pero me temo que le falta cerebro. Para estudiar medicina se necesita alguna inteligencia y, sobre todo, disciplina, una disciplina férrea. Sus dos lados flacos.

—Tú podrías estudiar medicina, si te interesara.

—¿Con cuatro hermanos menores? Seré enfermera. Nuestro presupuesto familiar, ya lo sabes, es muy reducido. De eso no tengo ni que hablarte, te bastaría con mirar mi atuendo. A estos zapatos tendré que echarles media suela. Sólo que no tengo la plata ni siquiera para eso. Cuando llueve, se mojan por dentro. Un bache, figúrate. Prohibido hablar de esas cosas. Me ponen como el limón. No es para menos, ¿no te parece? Tú, en cambio, tienes una beca. Aprovéchala. Estudia. Lee mucho. De todo.

Germán le aplica un beso. La mejilla enrojece.

—¿Pago por el consejo? ¿Gratitud?

La voz de Elena corta sus palabras. El cuerpo de Amalia se endurece en sus brazos. Los rodean aplaudiendo.

—¡Germán, Germán, ra ra ra!

Saltan, cantan elevando los vasos, ahogando la música del tocadiscos. El mar lanza bocanadas de frescura picante y húmeda, huele a yodo, pega sonoras bofetadas al acantilado, hierve devorando con rumor de crepitación la arena.

—Es por ti, Germán. Todos te aclaman. ¿No te alegras?

—¿Qué te hace pensar que no me alegro?

—Tu cara.

—Me pasa lo mismo que a ti. No refleja lo que siento.

—No puedes engañarme. ¿Tu papá está contento?

—No le gusta que me llamen galgo. Pidió un rato en el trabajo para verme correr. Cuando llegué a casa me abrazó. Eso está bien, me dijo. Lo de la beca lo alegró mucho.

—¿Cómo se llama tu hermanito?

—Raul... Bonita casa, ¿verdad? En la misma playa. Costaría un dineral.

—¿Lo quieres mucho? No cambies la conversación.

—¿Lo quiero? Sí, sí, claro. ¿Por qué?

—Por nada. Sí, es una bonita casa. Si estudias puedes tener una igual. Aunque yo no creo que deba ser la meta de nadie.

—¿Cuál debe ser?

—Hacer el bien.

—De acuerdo. Pero se puede vivir en una mansión y hacer el bien.

—Claro, claro. Digo que no debe ser la meta. Si la casa y el dinero vienen, magnífico. Pero no vienen. Hay que buscarlos como aguja. Y eso roba demasiado tiempo, no hay momento entonces para dedicarse a cosas mejores. ¿Sabes quién es Schweitzer?

—Lo he oído nombrar.

—Pues es un señor que lo abandonó todo para irse a trabajar con los enfermos y los pobres. Médico, pensador, filántropo. Prefirió servir a la humanidad a ponerse a amontonar plata. ¿Por qué lo menciona? Lo admiro tremendamente y me gustaría irme con él al Africa y entregarme a los trabajos más humildes. Me gustaría pero pienso que sería una tontería dejar mi país, donde también sobran los desamparados. ¿Te traigo algo del bar?

—No me cae bien el alcohol. ¿Nos sentamos?

—Mejor vamos a la terraza. Una vista preciosa. Aquí termina nuestro país. Allá, todo un continente, tierra firme. Fronteras. Se puede pasar de un lado a otro. Estamos encerrados. Atraviesas el país y te encuentras con el Caribe, vuelves atrás y ahí tienes el Atlántico. Una jaula.

—Una islita.

—Sin embargo, está poblada por seres iguales a los de los otros países, hombres y mujeres. Deberíamos tener mejor destino como pueblo... Una vista preciosa, ¿verdad? Sitio saludable. La brisa del mar. Pasaría las tardes mojándome los pies, tirada en la arena. Te procuran.

En el portal de la terraza, un grupo brinca, aúlla.

—¿Dónde está nuestro agasajado?

—¡Eh, Germán, Amalia, vengan!

El padre de Elena, alto, pelirrojo y cordial los reúne junto a la barandilla de la terraza, cámara fotográfica en mano. Miran atentos hacia el lente. El hombre aparta la cámara.

—No, no, por favor. Natural. Conversen, hablen. Parecen asustados, ¿nunca se habían retratado? A ver.

Inventan frases, ríen, bulliciosos. El fogonazo los fija en una estampa blanca.

—Papá, éste es Germán.

El hombre aprieta la mano tímida dentro de la suya —gruesa, pesada, pero suave, la mano de un cirujano—. Huele a lavanda, a loción para después de afeitarse. El traje es gris oscuro, de corte perfecto; la camisa impecablemente blanca. La cara recién afeitada, un tanto gorda, es simpática y segura de su inmediato poder.

—El héroe de la jornada. ¿Ramos, no? Me dicen que vas a estudiar Leyes.

—Sí, señor.

—Hay mucho campo, mucho futuro. Elena, tráeles algo a tus compañeros. Todas esas grandes empresas necesitan abogados de talento. Un campo formidable. La demanda crece. Centrales azucareras. Fábricas. El comercio, la industria. Un gran futuro.

Amalia se aparta y va hacia la terraza. Mira hacia el mar, reclinada en la baranda.

—Me faltan cuatro años —dice Germán.

—Cuatro años no son nada, sobre todo cuando se es tan joven. Mira a mi futuro yerno, le falta algo más todavía. Georgie, suelta el vaso. ¿Crees que será un buen médico? Si sale a mi colega, sí. Elena, no dejes sola a tu madre. Tengo un compromiso y no puedo llegar tarde. Mucho gusto, Ramos, todos. Adiós.

—Adiós.

—Elena, cualquier cosa me llamas al club.

—Una hermosa lección —dice Amalia.

Bajan las escaleras hacia la arena de la playa, aún vibrante del calor del día. Caminan con lentitud, aspirando el aire húmedo y salino. La espuma brinca y les humedece ligeramente las ropas cuando se detienen con los pies en el borde del acantilado. Una raya blanca avanza a lo largo de la playa, lamiendo las raíces de los cocoteros. Alrededor de la casa, fulgen los faroles entre palmitas decorativas y enredaderas. Las rachas de viento traen el cercano rumor de la fiesta, risas, música, tintinear de vasos. La voz de Sergio dice: "¿Dónde está *One day yes?*"

—Es un hombre impresionante, ¿verdad? —dice Amalia—. Tan seguro de sí mismo. Lo entiendo: tiene una buena posición. Admirado. Respetado. Quisiera irme al Africa, Germán.

—No hay uno solo que no se crea obligado a aconsejar a los jóvenes.

—¡Y qué consejos! Que te enchufes en la industria, cosas así. Pero, ¿hay que esperar algo de nuestros adultos? Adultos sólo por la edad, entiéndeme... Está bonita la noche. Me pasaría las tardes con los pies en el agua si fuera Elena. Lo estupendo del dinero es que se pueden tener cosas hermosas. ¿No has visto fotos de esas mansiones extranjeras? Llenas de cuadros, de objetos de arte. Pero, claro, las casas de algunos ricos. Aquí, nada de eso. ¿Viste esos cuadros? Palmitas, flamboyanes. Como si no estuvieran rodeados de palmas viviendo en plena costa. En las otras casas, las que están bien decoradas con cuadros de valor, la cosa es distinta. Algunos de los que pintaron esas obras de arte casi murieron de hambre, ¡qué ironía más cruel!

La noche se extiende sobre el mar. Huele a concha marina, a madera fosilizada, a la colonia barata en la solapa de la chaqueta por cuyas bocamangas asoman los puños de la camisa, gastados, relucientemente limpios. La música del tocadiscos se desintegra en los ramalazos de la brisa, se disuelve por momentos. Permanecen con los pies apoyados en el borde del acantilado. Germán se vuelve, enlaza la cintura, que obedece y se le ciñe. Los delgados brazos lo atenazan, los labios se le aplican como ventosas.

—Volvamos a la terraza —suplica Amalia.

Avanzan con las manos cogidas hacia la terraza de donde surgen fragantes espirales de jazmines, trozos de conversaciones y rumor de pasos bailados. Amalia llora.

—Pero, ¿qué te pasa?

—Me pasé de la raya. ¿Qué pensarás de mí? Creo que todavía no me conozco bien.

El grupo los acoge con palmoteos.

—Vamos a bailar —dice él.

Apenas tuvo tiempo para engullirse un bocadillo en la salita atestada de trabajadores. Había experimentado la apremiante tentación de solicitar uno de los platos abundantes, de los que se desplazaba un picante aroma, pero recordó que debía caminar mucho esa tarde, sin contar que la dieta propuesta por Meléndez hubiera quedado burlada. Se había entretenido unos instantes en observar a sus compañeros de mesa; conversaban explicándose con las manos, entre glugluteantes sorbos de cerveza. El mozo iba de un lado a otro, coronado por una nube de moscas, gordo, inflado al amparo de la hornilla libre, con un delantal mantecoso.

Durante toda la jornada estuvo recorriendo calles, internándose en callejones y senderos de cieno endurecido, negra pasta que embadurnaba los zapatos como brea; cruzó puentecitos sobre aguas que espesaban en su seno extrañas formaciones inmundas, pasadizos olorosos a manteca refrita, a bacalao hervido, a letrinas llenas de moscas, agachándose bajo cobertizos de cartón donde se hacinaban familias enteras entre perros, gatos y gallinas. Caño adentro, la pestilencia se hacía por momentos agresiva; la vegetación era torcida y de mal aspecto; esas torceduras vegetales se agazapaban silenciosamente en los pechos bajo una costra de prudencia y mansedumbre endurecida hacía tiempo. Las mujeres vagaban con las pupilas por el suelo, la mente en otro sitio, llevando potes, botones, trozos de cordel, descubriendo con entusiasmo, en la tierra carcomida por aceitosas llegas negruzcas, un prendedor herrumbroso, una hebilla, atesorándolos sin propósito claro. Entre los soportes de las casas espigaban plantitas barbudas, hojas de pelambre amarilla, hongos cenicientos, aplastados y sin sombra, esponjosos de humedad sucia, bellotas cerradas sombríamente como ataúdes, briznas doblegadas por el aliento de una rata, tallos palúdicos, hojuelas que fulminaban cangrejos; raíces de mangles, semejantes a huesos macerados, culebreaban furtivamente entre conchas de cangrejos anegadas de vieja mugre; la brisa reptaba incapaz de alzar vuelo, haciendo rodar masas de fetidez a ras de tierra. Una mujer chillaba a sus niños, se ponía histérica y regresaba a una paz lenta y tumultuosa, atravesada de inquietudes ya casi remotas. En los callejones, bajo aleros roídos, los hombres recargaban el espaldar de las sillas en las paredes de lata donde se anunciaban cigarrillos y licores, el pecho desnudo, silenciosos como piedras, escarbándose los dedos de los pies. Otros alentaban interminables partidas de dominó, emborrachándose a crédito largamente, con una pesada turbulencia en la mirada.

Mientras el autobús trepidaba bajo las hileras de luces de la avenida Ponce de León, Germán evocó con disgusto una de las últimas experiencias de esa tarde. Había llegado a las cinco y media a la casucha de madera y zinc. La familia se apretujaba ante un televisor imposible, cuyo parpadeo llenaba de estremecimientos de luz y sombra la salita; cuatro niños del mismo tamaño estaban echados en el suelo, las rodillas entre los brazos, los ojos brillando bajo la fluctuante luz; la mujer, balanceándose en la mecedora, le entregaba el pecho a un recién nacido. Todos se volvieron cuando escucharon el afectado saludo de vendedor, proyectado para dominar la audiencia desde la primera frase. Nadie habló.

—Buenas tardes tengan todos —repitió evadiendo el sentido verdadero de las palabras; su mano nadó inútilmente en busca de una cabecita—. Toda la familia está reunida, ¿no? ¿O falta algún pequeñín?

—¿Quién es? —respondió una voz.

Germán columbró al hombre en camiseta.

—No lo veo bien —dijo la mujer.

—Entonces no me reconocen. Claro, años que...

—¿Quién es? Baja ese condenado televisor, Juana, que no me deja oír.

Casi contra su voluntad, Germán adelantó un paso. Los chicos escrutaban a ese intruso un poco gordo, de cara rozagante, que les interrumpía un espectáculo en el que las figuras humanas se alargaban y achataban y abombaban anárquicamente. A veces las imágenes se difuminaban, asomaba un brillante ojo y el aposento naufragaba en la oscuridad. A la luz de un chispazo advirtió que uno de los chicos jugaba con un cangrejo; el animal se escabulló laboriosamente, limando el piso con uñas y pinzas, y se guareció derrengado entre los pies de otro chico. Una cara burlona, de dientes falsamente desportillados, gorgoteó un chiste, se empequeñeció, ejecutó una voltereta y se volvió un ojo incandescente. La voz carraspos de estática graznó las ventajas del nuevo Ford Galaxie.

—Parece que no está muy bien —se condenó de inmediato por la estupidez del comentario—. Sería mejor prender la luz un minuto; no les tomaré mucho tiempo.

—No hay bombilla —respondió la mujer.

—Soy el representante de la Ohio Insurance.

La mujer se volvió con brusquedad hacia el hombre.

—¿Qué pasa? —el hombre oscilaba la cabeza en una dirección equívoca: ni hacia Germán, ni hacia la mujer, ni hacia el televisor.

—Diga qué quiere —ordenó la mujer.

Germán se mantuvo junto a la puerta, buscando con la vista un sitio donde sentarse, un lugar que no halló y que nadie intentó procurarle.

—González no ha podido visitarles en las últimas semanas por causas que... —se detuvo y tragó; las palabras no le obedecían; sintió una timidez paralizante, pero agregó—: Soy su supervisor. Vengo a rogarles que hagan lo posible por ponerse al día en el pago de las primas —el hombre movió erráticamente la cabeza, parecía mirarlo al estómago—. En lo sucesivo, de no presentarse González, otro agente se encargará de ofrecerles gustosamente sus servicios. O vendré yo mismo cuantas veces sea necesario. Es de conocimiento general que ninguna compañía de seguros presta tan completo servicio a la familia puertorriqueña por una prima tan módica.

Las imágenes se inflaban, se estiraban y encogían. "Puerto Rico es territorio Ford", declaró el locutor. El hedor a yodo, a hoja largamente humillada en el babote, a raíz descompuesta, a putrefacción de cangrejos anegó violentamente la sala. El bebé empezó a gimotear.

—Mira a ver si lo callas —gruñó el hombre.

—Una compañía dedicada a los trabajadores...

El bebé bostezó, estiró una mano y se hundió en un débil letargo. La mujer lo arrullaba recitándole nanas. Desengañados, los chicos habían vuelto decididamente la espalda a la pantalla y lo espiaban resueltamente; juntaban las cabezas, susurraban y reían; el cangrejo se escurría de costado, traqueteando como un mecanismo defectuoso. Entonces advirtió que el hombre había abandonado la silla y avanzaba inseguramente entre las piernas de los niños. Escuchó claramente el golpe del bastón sobre las tablas del piso.

—Espero que hasta la fecha no hayan tenido quejas —cerró Germán.

El hombre estaba enfrente suyo, la cara hacia la pared, respirando profundamente.

—¿Quejas? —una rabia intensa estorbaba sus palabras—. ¿Quejas dice usted? ¿Quejas? ¡Venirme a hablar a mí de su compañía!

Contempló fascinado la nervuda silueta, una tensa silueta cuyo semblante le mostró, a la luz de un fusilazo, dos ojos vacíos.

—Fue un accidente —dijo la mujer—. Usted debía saberlo.

Germán guardó silencio un momento. Luego dijo:

—No he sabido nada. ¿Qué pasó?

—Nada, que su compañía faltó al contrato y no quiso pagarme la indemnización. Son unos canallas.

—Alegaron que fue un descuido o algo así. No tenemos escuela, por eso nos engañaron.

—Pero... ¿lo reportaron a tiempo? —sentía los tirones de los músculos en sus mejillas—. ¿Cuándo pasó?

—El juicio se celebró hace veinte días. Son unos canallas.

—¿Presentó testigos? ¿Dónde le ocurrió?

—En el trabajo.

—¿Llevó a sus compañeros?

—Sí. Pero a mí me enredaron.

—Estuvimos diez años pagando el seguro sin fallar una semana. Debe saberlo si trabaja ahí.

—No he sabido nada. Palabra que...

—Alegaron que fue un descuido. ¡Venirme a hablar de su compañía!

Mientras el hombre desencadenaba sus furiosas lamentaciones, Germán pensó en las nuevas normas impuestas por Clarence. Entre las últimas concepciones del negocio figuraba sin duda la necesidad del silencio: bastaba que los abogados de la empresa debatieran en los tribunales cada caso, los supervisores no tenían por qué enterarse. Cada uno en lo suyo. Sin embargo, era lógico que los agentes, en sus visitas semanales a sus territorios, se enterarán de esos hechos y de alguna manera, identificados o no con el cliente, hicieran correr la voz. González había desaparecido sin decirle una palabra. No me lo informó porque me considera pieza fundamental del aparato.

—¿Cómo ocurrió? ¿Cómo le pasó?

—¿Tengo que decirlo otra vez? Un tanque de acetileno.

—Sí. ¿Qué más?

—Lo dije cien veces en la corte. Yo era soldador. Usted no puede hacer nada.

—¿Estalló el tanque?

—Sí. De acetileno. Fue en el trabajo, a las diez de la mañana.

—Dice que estalló el tanque. ¿Cómo fue?

El hombre se lo explicó en detalle; Germán tuvo la convicción de que decía la verdad.

—González nos dijo que se iba —aseguró la mujer; el crío colgaba inerte de su brazo—, que no quería seguir más con la compañía. Pero seguro que es mentira, que es como los otros.

—Hablaré con el gerente. Todo esto me parece muy raro.

—No hará nada —el hombre lo acusaba con sus ojos vacíos, apoyado en un bastón para toda la vida—. Gana un sueldo, no abrirá la boca.

—Hasta la fecha, la compañía siempre había cumplido honorablemente sus compromisos.

—¿Por qué no acaba de largarse? —chilló la mujer; el crío se despertó; los chicos se agarraron a su falda.

—De haberlo sabido, hubiera luchado a brazo partido por ustedes. Voy a investigar qué pasó.

—Váyase —respondió la mujer—. ¿Todavía no se cansan de hacer promesas después de lo que nos han hecho? Sólo sirven para chuparles el sudor a los pobres. Más de diez años engañándonos.

—Es verdad —asintió el hombre, dubitativo—. Diez años, todas las semanas. Nos estafaron. Mejor es que no vuelva por aquí, señor.

Salió como estafador al que se le permite marcharse tras una severa admonición. Una vocecita destimbrada pugnaba por abrirse paso en su corazón; sólo percibía el tono regañón y polémico, hasta que una palabra aislada se perfiló claramente: "esquilmar". Escupió con rabia sobre la tierra que se hundía como corcho bajo sus tacones. Los perros le ladraban inmóviles, más temerosos que agresivos. Los gritos de una bandada de chicos persiguiendo un viejo neumático atravesaban el aire. Se sintió intruso en ese mundo que había recorrido durante años y que, sin embargo, se había negado a reconocer en sus detalles, sin haberse hecho nunca demasiadas preguntas. Esos hombres y mujeres y niños de arrabal, ¿no habían sido seres de otro planeta a quienes era posible arrancarles semanalmente unas monedas a cambio de un seguro, pero con quienes nunca trató de mantener otra relación que la estrictamente profesional?

El terreno rescatado del caño, cuarteado en figuras caprichosas, sonaba a tambor ensordinado bajo sus zapatos. Pensó en la extraña actitud de González. Habría protestado directamente ante Clarence, y éste se empeñaba en destituirlo. En todo caso, ¿por qué no habló claro? Abordando el autobús medio vacío después de visitas a clientes diseminados por el barrio, se recriminó por su negligencia e ineficacia de los últimos tiempos. Aceptaba el hecho de que a partir de la crisis cardíaca había vivido como flotando, distraído, sin afirmar gran cosa los pies en el suelo. Luego (lo reconocía abiertamente) su vida había empezado a girar en torno a la invitación de sus excondiscípulos, amigos que lo transportarían a épocas de profunda, brillante felicidad.

El autobús avanzó a lo largo de un edificio enchapado con planchas de imitación de mármol. Meléndez hizo una breve incursión en su recuerdo. Desde ese momento, tras la penosa experiencia con el ciego, ya no podría dominarlo; aparecería con más libertad que nunca, sin necesidad de ningún resorte previo, convertido decididamente en el índice acusador de su conciencia. No dijo nada, pero demoraba en sus labios cierto fruncimiento irónico. Desapareció, dejando una espinosa oquedad, un aliento irresistible.

Chirrió los dientes y observó con aplicación los edificios, los automóviles, los últimos destellos del sol en las vitrinas, los grandes carteles de los cinematógrafos. ¿Cuántas veces había recorrido las rutas de esa ciudad arbitraria, sin parques ni zonas verdes? Por sus calles discurrían millares de seres marcados por las cuatro costas del país, uniformados por el mismo mar, las mismas corrientes de aire y las mismas montañas. Se desplazaban diariamente de los talleres a los rincones de sus casuchas, de las oficinas a los repartos de casas iguales, de los despachos refrigerados a lujosas suites. A esa hora lenta y agobiadora del atardecer abandonaban el omnipresente televisor y se sumergían en los cinematógrafos donde era posible ocultar en la oscuridad una remota vergüenza no analizada, ni siquiera pensada, escamotearles a los otros las facciones envejecidas, conocidísimas, hundirse en la ficción desarrollada salvajemente en la pantalla entre crujidos de paquetitos de papas fritas, arrojados fuera de la corriente de la vida real por ese tumulto de caballos, de estrepitosa música, de apaches diezmados alegremente; arrancados del sudor y la fealdad por ese oh, beso final, por el lujoso anuncio de cosméticos en el que una maniquí imprime un estampado ardiente, mágico, maravilloso, en sus maravillosos labios con el maravilloso Revlon, señora, señorita, ponga un exquisito tono de carmín en sus exquisitos belfos.

Un puñado de fulanos manejaba estratégicamente los rebaños esparcidos por la ciudad (y por el país todo) con voluntad de mariscal en guerra, especulando incluso con lo que ellos mismos, esos furtivos, brillantes mercaderes, juraban sagrado, despedazándose en una lucha ciega.

Ese era el mundo malignamente estrecho al que él pertenecía.

ELENA, JORGE, AMALIA, Carlos, Sergio, permanecen de pie, los ojos bajos. Rumor lento de rezos y suspiros. Su hermano está junto a su madre, los ojos enrojecidos. Huele a cera derretida, a flores mustias, a agua de azahar, a alcoholado, al peluche nuevo del recién claveteado ataúd. Amalia le oprime la mano. Agradece infinitamente ese contacto prodigioso —le insufla ánimos, lo estimula, todavía merece la pena vivir. Con los brazos enlazados salen al patio. Atravesando el polvo, el caminito enarenado, los tiestos de begonias y los rosales, descubren que sobran las palabras. Junto a los hibiscos punteados de amapolas sangrientas, cultivados minuciosamente por su padre, se detienen. Los rezos lo acosan, lo persiguen como obsesión enloquecedora. Cuando Amalia coloca la mano en su hombro, lo traiciona un golpe de llanto.

—Lo siento tanto como tú. Como si me hubiera pasado a mí. Todos los muchachos también. Te quiero, te quiero.

—Era muy bueno, Amalia.

—Lo sé. Siempre me hablabas de él. Tú eres su retrato, su vivo retrato. Debes sentirte orgulloso.

El solazo de agosto marchita yerbajos, doblega las corolas más vulnerables, las hojas menos resistentes, incendia mariposas, reverberará sobre una nueva lápida de cemento. Cloqueando en el sofoco, una gallina arrastra las alas trazando dos caminos paralelos en el polvo. Los cruza un grupo de hombres en ropa de trabajo.

—¿Eran sus compañeros?

—Sí.

—El de delante iba llorando.

—¡Muchos años en el mismo taller!

—Germán, ¿qué quieres que haga? ¿Qué puedo hacer por ti?

—Quédate aquí. No te vayas.

—Todo el tiempo que quieras. Te quiero. Lo sabes, ¿verdad? Desde la escuela superior. No me contestes. Soy una estúpida. Tu padre era un buen hombre. Lo sé por la gente que viene. Como tú y como yo. La gente que ha hecho el mundo, y que construirá un mundo más habitable para todos. Lo he sentido tanto como tú. Como si hubiera sido mi propio padre... ¿Quieres que te traiga café?

—No, no, gracias.

—No tienes que darme las gracias. No lo soporto. Te pones pesado.

Flota una libélula, leve estructura transparente que desaparece como hilacha de brisa. En el balcón, detrás de los tiestos de geranios, las mujeres, vestidas de blanco, de lila, de negro, se abanican con cara piadosa, parloteando. A la sombra de los crotos, un gallo bate las alas y aguijonea el silencio con su canto agudo. De algún punto llega la música de un radio.

—Amalia, se me quitan las ganas de seguir viviendo.

—Pasará, Germán, no digas eso.

—Estaba orgulloso de mí. Creía que tenía el gran hijo.

—No se equivocaba, Germán.

Un pájaro invisible gorjea en el mango cargado de frutos. El cielo de agosto es una rutilante chapa de hojalata, con nubes redondas y rizadas como repollos.

Jorge se aproxima ciñendo el talle de Elena.

—No me di cuenta cuando saliste, Germán. ¿A qué hora es el entierro?

—A las cuatro.

La brisa sacude los hibiscos en movimientos espasmódicos, barre el polvo recalentado, arroja una respiración febril en las caras, ajusta la seda del traje blanco a la entrepierna de Elena, trae el eco espectral de los rezos;

Germán siente en sus yemas el peluche del ataúd, el suave roce de las cintas mortuorias, la desoladora textura de los crespones.

—Germán, en cualquier cosa que te pueda servir...

—Gracias, Jorge.

—Era joven, ¿verdad? No llegaba a los cuarenta.

—Cuarenta y dos.

—Qué lástima.

Jorge mira su reloj. Viste traje gris y corbata negra. Elena mantiene la mirada en el suelo. El sol de la playa ha tostado su piel dorada, volviéndola bronce.

—Tenemos que salir un momento —dice Jorge—. No tardaremos mucho. Los muchachos están adentro. Cualquier cosa, vas donde ellos. Sergio trajo el carro. Hasta ahorita.

Atravesando ramajes y hojas, el sol del inacabable estío desparrama gusanos luminosos sobre la tierra reseca. Una iguana desaparece coleteando bajo una roca.

—¿Quieres que te traiga una silla? Estás cansado.

—No —le toma las manos—. Te lo agradezco, pero no te preocupes por mí.

—No puedo evitarlo —los ojos de Amalia se humedecen súbitamente tras los espejuelos—. Por favor, no me pidas lo imposible.

—Sólo quiero que estés aquí. No te muevas. No te vayas.

—No me iré. Todo el tiempo que tú quieras. Todo el tiempo.

En el mango repleto de frutos verdes, el pájaro vuelve a entonar su gorjeo. Asfixiada en el bochorno, una paloma inicia un arrullo entrecortado.

BAJABA ENCORVADO por la angosta calle, entre las apretujadas sombras de las casas. Grupos de mozalbetes se narraban historias bajo el alumbrado público. Los escarabajos volaban en círculo y se precipitaban como pequeñas máquinas voladoras. A ambos lados de la calle, en los bares, bebían incansablemente. Olía a ron barato, a sangre próxima. Desde todos los puntos las caras se volvían hacia él para acusarlo. En ese concierto se destacaban Meléndez, Clarence, el ciego, González oscuramente.

En el rellano de las escaleras lo recibió un rumoreo de voces y pasos. Olía a aceites y a ungüentos reservados para ocasiones muy especiales; Carmen asomó un rostro radiante. Los olores que surgían de aquel cuarto apagaban el de su perfume, seguramente renovado durante las horas del día.

Germán se sintió feliz de volver a encontrar caras amigas que no le exigían nada, que no lo culpaban de nada.

—Un nuevo inquilino —dijo Carmen.

Sorprendido, en sus labios empezó a descorrerse una sonrisa; la fatiga, la humillación y la vergüenza se escapaban apresuradamente. Carmen le hacía insistentes señas de que se aproximara.

—Se ve que nunca ha sido padre. Venga a ver qué angel del Señor.

Sobre el velador fulgía una lámpara en forma de querubín. Al lado habían instalado una cuna arruinada por el frecuente tráfico entre familias. Bajo la sábana limpia Catalina sonreía con fatiga. Su pelo estaba envaselinado, acondicionado para el recibimiento de las visitas. Sentado en la cabecera, el hombre se agachaba, las grandes manos apoyadas sobre las rodillas, escrutando la enigmática carita de la criatura; varias mujeres charlaban alrededor de la cama.

—Veo que estamos contribuyendo a la superpoblación —dijo con ánimo de hacer reír—. ¿Es niño o niña?

El hombre sonrió.

—Macho. Doña Carmen tenía razón.

—Se sabía por la forma de la barriga —dijo la casera—. Y eso de que tardara tres semanas... Poco después que usted salió le empezaron los dolores.

Germán se aproximó a la criatura envuelta en paños azules. Tenía los ojos cerrados; vio un puñito rosado y pellejudo, con un amuleto de azabache para conjurar el mal de ojos. Automáticamente pensó en un seguro de vida, pero rechazó con enfado la idea.

—Todavía no me atrevo a decir a quién se parece.

—No hablemos de eso —respondió el hombre.

Catalina observó a su marido con ironía, encontrando después los ojos no menos irónicos de Carmen.

—¿Cómo van a llamar al nuevo ciudadano?

—Maximiliano —respondió una voz. Germán se volvió; era una mujer vasta, embutida incómodamente en un hábito marrón, que le sonrió beatíficamente. Sus rasgos faciales se asemejaban a los de Catalina—. Hoy es San Maximiliano.

—Malo que hubiera nacido para Críspulo o Visitación, ¿no?

Alguien rió.

El hombre dijo:

—Don Germán, queríamos pedirle que fuera el padrino, si no es molestia.

El ciego pasó fugazmente por su memoria. Respiró profundamente, extrañamente conturbado. No supo explicar que no debía ser él el padrino. Pero dijo después de un momento:

—¿No sería preferible un padrino joven? Yo, ustedes saben...

—No los vaya a desairar —protestó Carmen—. Madre de Dios, yo no sé cómo es este hombre.

—Queremos que sea usted.

—¿Yo? Bueno. Con mucho gusto. Sí. Honor que me hacen, palabra. Gracias.

Cuando se volvió para salir, Carmen dijo:

—No deje de bajar a comer aunque sea tarde.

Germán se detuvo ante su puerta, indeciso, con la llave en la cerradura. Sentía el rumor de sus fantasmas personales: se movían diligentemente organizando el decorado, las luces, los altavoces. Por eso cuando entró no encendió el radio ni fue a la ventana. Sentada en la cama, con un espejito sobre las rodillas, Celia alzó la cara.

—¿Para qué sirven los hijos? ¿Puedes decírmelo?

—Nos hubieran unido más —respondió él.

—¿Más? —lo observó con ironía—. Nunca hemos estado verdaderamente unidos. Sólo sirven para entorpecer.

—Creo que te equivocas.

—Siempre me equivoco.

Germán le alisaba el cabello; le acarició la nariz, buscó su oreja.

—Estás excitada.

—Te hubiera dado un hijo si hubieras hecho algo para labrarte un futuro.

—Ah, ya vuelves —sacó un cigarrillo y lo encendió—. Déjate de pamplinas.

—No fumes. Me molesta.

Germán apagó el cigarrillo.

—Lo olvidaba, perdona.

—Entonces hubiera valido la pena estropearse el cuerpo.

—Un hijo te hubiera dado energías para luchar contra la enfermedad. Pero cambiemos el tema. Ya no hay remedio.

—Estoy luchando sin necesidad de hijos. Estoy viva. Soy una mujer de carne y hueso, tengo sangre en las venas. Enferma, pero todavía puedo excitar a un hombre.

La contempló. La transpariencia de la piel revelaba el hueso. Apoyó una mano en su hombro y la hizo acostar.

—¿No he dejado boquiabiertos a muchos hombres?

—Lo siento —Germán abrió el portafolio y sacó unos expedientes—. Tengo mucho que hacer y no puedo perder más tiempo.

Se sentó a la mesa, le volvió la espalda y dibujó cifras en un pliego durante media hora. Celia guardaba silencio. Se habrá dormido, pensó sin intentar echarle un vistazo para comprobarlo. Sacó un cigarrillo; lo encendía cuando escuchó el crujir de la alambrera de la cama y un roce en el piso. Abandonó el cigarrillo y se incorporó. Celia estaba de pie junto a la cama.

—Acércate —se soltaba la bata con dedos torpes—. ¿Todavía eres un hombre?

Desnuda, danzaba oscilando las caderas, vivificada por la insólita demanda de su cuerpo.

—Acércate para que sepas que estoy viva.

Germán enlazó la leve cintura y dejó que los labios de Celia besaran su mejilla. El aliento quemaba su oreja, incesante, urgente. La alzó en brazos murmurándole palabras de afecto y la depositó con cuidado en la cama, como a un frágil objeto. Los ojos de Celia lo envolvían en una llama de odio o de deseo, y sus brazos se arrojaban hacia su cuello mientras murmuraba una letanía: "Acércate, ven, acércate." Germán la arropó con la sábana salmodiándole frases, palabras que en ese momento habían perdido todo sentido: "Te curarás, alquilaremos un buen apartamento, haremos un viaje de vacaciones." Llenó una cuchara con un sedante y, tras numerosos ruegos, consiguió que lo tomara. Poco después quedó rendida, sacudida de rato en rato por breves estremecimientos.

Sentado a la cabecera, acariciando la frente cubierta por un sudor frío y grasiento, aguardó a que quedara dormida.

La voz de Carmen sonó distinta: "Cualquiera puede ver que se parece al padre. Y otra voz femenina, entreverada a los ruídos de estática de un televisor imposible, rezongó: "Sólo sirven para chuparles el sudor a los pobres."

Se inclinó ante el espejo. Tenía los párpados pesados y enrojecidos.

SEIS PAREJAS REGORDETAS bailan plácidamente. Con el vaso en la mano, sonreído, observa. Cuidarse de mantener la línea. Elena tiene una pequeña papada. Sus ojos le sonríen, destello dorado orlado de lila; probablemente una de las mujeres más bellas del país; decoradora de interiores; le sienta el oficio; gusto y sensibilidad para colores, composición, ordenamiento de volúmenes, mobiliario, armonía. Jorge no tiene de qué quejarse. Vuelve la vista llevándose el vaso a los labios. Recostada en la baranda, Amalia le habla a su marido, ríe, lo escucha; admira la serenidad de su rostro, la seguridad de sus ademanes. En ningún momento alza la vista hacia él.

CONTRARIO AL OPTIMISMO de sus cálculos, había demorado tres días en recorrer el distrito. La mañana del cuarto intentó levantarse, pero un dolor agudo mordió sus músculos, obligándolo a permanecer en cama donde se dedicó a revisar, suspirando, el informe redactado la víspera. Debido al esfuerzo realizado en los últimos días había experimentado una fuerte opresión en el pecho, por lo que había considerado solicitar la ayuda de su médico, pero después de tomar las pastillas sintió alivio y olvidó lo que llegó a considerar una insignificante molestia.

Hacia las nueve apareció Carmen con la escoba, un balde de agua y un amplio paño de fregar. Dijo, fingiendo sorpresa:

—¿Qué milagro es ése? ¿A qué se deben las vacaciones?

Germán sabía que ella no acostumbraba a hacer la limpieza del piso a esa hora.

—No son vacaciones. ¿Va a limpiar la habitación?

El gato entró y empezó a rozarse contra las piernas de su ama.

—Quédese acostado, puedo venir más tarde. ¿No se siente bien?

—Un poco estropeado. Estos días he tenido que caminar bastante. Puede limpiar, no me molesta.

—¡Qué empeño! Le voy a contar un cuento si sigue haciendo desarreglos.

—Regáñeme si quiere, pero no me quedó otro remedio.

La lluvia empezó a percutir en el techo. Sin embargo, en la ventana asomaba un cielo limpio salvo por unas pocas nubecitas estriadas de azul; se movían con rapidez hacia el poniente.

—Se está casando una bruja —Carmen frotaba el paño sobre el tocador—. ¿Cierro la ventana?

—Va a pasar ya. ¿No le gusta que llueva?

—No, porque tengo ropa secando en el patio. ¿Qué le pasó ayer? Llegó entripado

—Uno siempre olvida el paraguas. Si no, deja de ser paraguas y se convierte en otra cosa, un lápiz, por ejemplo.

—No podía ni respirar.

—Siempre exagera, Carmen. Que no podía respirar.

—Es la verdad. Estaba como si hubiera venido corriendo todo el camino.

Germán extendió las piernas, restregó su cara con las palmas de las manos y bostezó.

—¿Corriendo?

—Ni más ni menos. Y como asfixiado.

—No sería nada raro —se volvió cuidadosamente sobre un codo y la miró—. Fui corredor.

—¿Cómo dice?

—Corredor. Como si le hablara griego, ¿verdad? Las mujeres no saben nada de eso.

—Según veo ha sido de todo.

—De todo no, criatura. Exagerada.

Carmen fue a la ventana y sacudió el paño. Quedó espiando la calle como si un interesante evento hubiese llamado repentinamente su atención.

—¿No se lo había dicho?

—No. Pero me dijo que fue monaguillo. La verdad es que no tiene cara ni de monaguillo ni de atleta.

—Avíseme si quiere que le deje el cuarto. O me quedo a verla estregar el piso, soy buen capataz.

—Olvídelo, puedo venir después. No le veo cuerpo de atleta, Germán.

Germán se volteó sobre la espalda y descansó la nuca en las manos. Resbaló con pereza la vista sobre el plafón, respirando sosegadamente, gozando con deliberación de la mañana de ocio; una cucaracha aparecía y desaparecía en una rendija.

—A mi edad nadie tiene cuerpo de atleta.

—Quiero decir que no parece que haya hecho mucho ejercicio en su vida.

—Es la grasa. Usted me alimenta bien.

—Con todo y grasa se notaría, no crea.

—No era levantador de pesas. Mire —flexionó un bícep blanco y constelado de pecas—. Pero fue el atleta más destacado del año.

Carmen deslizaba el paño por el espejo, duplicándose.

—Es lo último que hubiera esperado: Germán corredor.

—Me llamaban Galgo en la universidad. Desde la escuela superior tenía fama. Ese año destrocé el record establecido hacía tiempo. Salí en los periódicos.

—¿Con fotografías y todo?

—En la página deportiva. A mi padre no le gustaba lo de Galgo, pero terminó acostumbrándose.

—Estaría orgulloso de que su hijo saliera en el periódico, figúrese. ¿Tiene los recortes?

—Los quemé hace tiempo.

Carmen giró el dedo índice junto a su sien.

—Yo diría que siempre ha estado medio...

—No lo dude —rió él; a pesar del dolor, que con cada movimiento relampagueaba en sus músculos, se sentía liviano y despejado, como quien ha vencido una preocupación de años—. ¿Se atreve a insultar a sus inquilinos?

—Es que tiene unas cositas...

—La Universidad me dio una beca. Sonaba para representar al país en México.

—No me diga que fue. Un país tan bonito.

—Pero mi padre murió y tuve que dejar los estudios. La beca no era suficiente para mantener a mi madre y a mi hermano.

—Eso me lo dijo; que tiene un hermano.

—Es agrónomo. Le pagué la carrera.

—Debe quererlo mucho.

—¿Quién?

—El, su hermano. Debe quererlo mucho y estarle agradecido.

—No estoy muy seguro.

—No hable así.

—Me provoca, Carmen.

—¿De qué murió su padre?

—Del corazón. Es una enfermedad familiar. En esos días quemé los recortes de periódicos. Puede pensar que fue una estupidez, pero no quería que nada me recordara la frustación de tener que dejar la universidad.

—Debió guardarlos, ¿no cree?

—Si los quemé, fue porque necesitaba quemarlos. No me arrepiento.

—No resolvió nada con eso.

—¿Y qué? Pero tal vez sí. O no. No sé. Hay cosas que no tienen explicación. Además ya no me interesa si tienen o no explicación.

—Total los estudios no le han hecho gran falta para vivir. Siempre ha conseguido buenos empleos. De la universidad salen muchos que no saben que dos más dos son cuatro.

—Es verdad. Pero quisiera estar seguro de que dos más dos siempre son cuatro. A mí la suma me ha salido mal muchas veces.

—Doctores que recetan siempre las mismas píldoras y vengan cinco pesos.

—A lo mejor es necesario que dos más dos sean alguna vez cinco o dieciocho, no sé.

La lluvia cesó y el sol refulgió en los techados húmedos y en las lejanas copas de los árboles. No se veían nubes; el cielo estaba macizo de calor, retumbante de calor, atravesado por el torpe vuelo de las golondrinas. Olor a tierra salpicada de lluvia y a brisa yodosa. Germán apreció ese momento tranquilo, de total lasitud, mientras Carmen se movía por el cuarto restregando los muebles con el paño, imprimiéndole al ambiente la cualidad de verdadero, remotamente soñado hogar. En ese momento entró disparado un pajarito y fue a posarse en el tocador; empezó a picotearse en el espejo, luego alzó un vuelo desorientado, que de inmediato él pensó lamentable, y se precipitó contra la pared. El gato ensayó un paso de caza, pero Carmen se apresuró a recoger la avecilla del suelo.

—Una reinita —declaró Germán.

Carmen la guarecía suavemente en la mano.

—Se asustó.

—Póngala en la ventana, ya le pasará. Pero cuidado que no se caiga al suelo.

El gato maullaba. Carmen lo arrastró con el pie hasta el pasillo, amonestándolo, y depositó la reinita en el alféizar. La escudriñaba con lástima. El gato continuaba maullando y, en medio de la paz, Germán sufrió un conato de inexplicable furia. Se sentó en la cama y reposó la cabeza en el cabezal. Su mirada tropezó con el informe al lado suyo.

—Quería ser abogado —dijo.

—Abrió los ojos, pero tiene las patitas encogidas. En eso hubiera sido bueno, Germán —Carmen no alejaba la vista del animalito—. Para abogado no hubiera tenido precio.

—¿No se ha recobrado todavía? Echele agua.

—Pobrecita. Se dio muy duro.

—¿Está respirando?

—Claro, abrió los ojos y todo. Conque abogado. Hubiera sido de los mejores.

—Cuando menos lo piense alza vuelo. Tan pronto la deje en paz. Cuidado con el gato. Si le hace algo lo tiro al caño. El mundo tiene sorpresas crueles. Adiós abogacía.

—No llore, sé que tiene buena plata en el banco.

—Entonces me hice agente de seguros. Encajé en el oficio desde el principio. Tenía que hablar hasta por los codos, demostrar las ventajas que ofrecía la compañía, convencer a los escépticos haciendo cada día una caricatura de la profesión a la que había aspirado.

—Es un negocio como cualquiera otro, ¿no?

—Hay mucho más que hablar y acudir a tecnicismos

más o menos convincentes en la profesión legal. Hay unos principios, se aspira a la claridad y a contribuir a que se haga justicia siguiendo un conjunto de leyes y normas en un código, hay la posibilidad de luchar por los desamparados —guardó silencio, pensando en el ciego—. Y también se puede luchar contra los desamparados. Al principio me llamaba la atención lo externo, el rito, como me pasaba cuando de niño me obligaban a ir a misa. Me sucedió en mi oficio. Estaba orgulloso de mi arte para convencer, de una labia implacable que me producía buenas ganancias, dicho sea de paso.

—Y tanto que se queja.

—No me maltrate, Carmen. No soy su gato. ¿Todavía no piensa volar?

—Parece que no... ¿Qué iba diciendo?

—Después vino la teoría. Mediante cursos, seminarios y libros que devoraba y llenaba de apuntes en mis momentos libres, fui compenetrándome de la función social que habrían de llenar las empresas como la mía. La gente tenía derecho a protegerse contra lo imprevisto. Un padre asegurado debidamente no tenía que romperse la cabeza preocupándose por razones económicas del futuro de los suyos. Seguros contra accidentes, para caso de muerte, para estudios. Los hijos de los pobres no sufrirían mi experiencia, ¿ve? Estos razonamientos me alentaban, me daban una base moral para entregarme de lleno a mi trabajo y justificarlo: esa fue la más eficaz manera de aceptar la sustitución. Yo me presentaba al cliente potencial, le explicaba mis propósitos. Lo escuchaba con calma, analizando sus peros y desconfianzas y razones, luego lo rebatía minuciosamente, punto por punto. Lo hacía por su bien, honradamente, aunque como dije no dejaba de enorgullecerme de mi técnica y de un poder de persuasión realmente aplastante. Me conformaba ya con mi futuro, me adaptaba con rapidez a la caricatura cuidándome mucho de ocultar ciertas molestias.

—Mire, se volteó.

La reinita movía la cabeza tratando de orientarse, produjo un chip chip y desapareció. Carmen la siguió con la vista.

—Ya está —Germán reconoció lo desproporcionado de su alegría ante la anónima liberación—. Gracias a su mano santa.

—Así que no podía volar. Se estaba haciendo.

—El gato no se lo va a perdonar. Lo traicionó.

—¿Qué usted quería? No iba a dejar que se la comiera.

—Yo lo hubiera tirado al caño.

—¿De qué molestias hablaba?

—No podía olvidar que mis amigos, condiscípulos de muchos años, habían logrado sus aspiraciones. Para ellos no había habido desviación. Dos médicos, tres contables, un farmacéutico. Una compañera se hizo enfermera después de haber terminado economía doméstica. La plaza de abogado quedó vacía, pero entre otras cosas, me contentaba con ganar buen dinero y con mi popularidad. O al menos eso creía.

—¿De veras que le dolió tanto no hacerse abogado?

—No sé qué decirle.

—Parece que sí.

—Pero puede que no. Había una cuestión de familia. Eso de desvestir un muerto para vestir otro, ¿comprende?

—No.

—Vamos a dejarlo ahí. En las veladas anuales yo encontraba otros motivos para sentirme satisfecho. Extrañamente, mis amigos no olvidaban que yo había sido la estrella de la clase, el orgullo del segundo año e incluso de la universidad. Aún después de muchos años se disputaban mi amistad.

—Pero sería porque lo querían mucho como amigo, ¿no cree? No porque hubiera sido la estrella, como dice.

—Habían alcanzado sus aspiraciones y sin embargo parecían envidiar todavía mi fugaz prestigio de atleta. No estaban conforme, ¿se da cuenta?

—Ah.

—Tenían una honorable profesión con qué ganarse la vida, ¿y qué más? Tenían propiedades, mujer e hijos, pero todavía, ¿qué más? Eran respetados, como no, pero, ¿qué más?

—¿Qué quiere decir con eso?

—No estaban conformes, le dije.

—La inconformidad la castiga Dios.

—Ay, no, por favor.

—Ande, búrlese. Usted es incrédulo y un día verá.

—Aparte del estrecho círculo de amistades y clientes, eran seres grises, desconocidos, que engordaban soñando con alcanzar la presidencia de los rotarios o los leones. Cada año, en las veladas del grupo, yo aparecía con un nuevo carro deportivo. Compraba mi ropa en las tiendas más caras, y como mi trabajo no me dejaba un minuto de descanso ni tenía un verdadero hogar donde reposar, mi figura seguía siendo esbelta.

—¿No le pasaba por la mente casarse?

—En una de esas veladas conocí a Celia.

Carmen le dirigió una mirada penetrante. El gato se le enredó en los pies y lo apartó con un susrro y un leve movimiento.

—Ah, la difunta que en paz descanse.

—Yo tenía treinta y cuatro años.

—Y soltero todavía.

—Me bastaban unas amigas, era un dandy. Los muchachos me decían que iba a caer en una trampa. Esas cosas.

—Les pasa a los correntones.

—¿Qué?

—Encuentran el agua mansa y se hunden hasta el cuello.

—Eso es lo que dicen. Pero el agua brava es peor. Desde que uno nace le van llenando la cabeza de frases. Y después se descubre que son nada más que frases, mitos, prejuicios.

—Allá usted.

—Estaban empeñados en casarme. A los matrimonios siempre les resulta incómodo el amigo soltero; ¿no será envidia? Tenían niños en la escuela, figúrese. Jorge, el doctor, me la presentó. No tenía más de veintitrés años. Había sido candidata a reina del Casino. Llegó en segundo puesto, pero esa es otra historia.

—Bonita sí que era y parecía una misma reina aunque estaba enferma, la pobre.

—Noté cómo trataba a su amigo, un rubito de su misma edad. La seguía como un perrito, le preparaba refrescos, le acomodaba la orquídea, le daba toquecitos en el pelo, la hacía posar como un modisto, le aguantaba el espejo para que pudiera mirarse, cosas así. Ella lo aceptaba; después, por cualquier cosa, se alejaba de él. Cuando Jorge nos presentó me dio una mano fría y como crispada. Me miró a fondo, no sé si irónica o enfadada; en seguida me di cuenta de que era terca, temeraria. Bailamos. El joven delicado nos miraba, y Celia le devolvió una sonrisa rara, como asqueada. Me gustaba bárbaramente, pero me intimidaba, me sentía encogido. Se me cayó un vaso, y la cara se me puso como fuego. Todo parecía salirme mal. Cuando la llevaba al balcón tropecé con una mesa y volqué no sé cuántos refrescos, manchándome el pantalón. Un niño empezó a chillar y sentí un miedo atroz, casi pánico. Pero Celia no parecía notar mi turbación.

—¿Y qué le pasaba?

—Le llaman complejo, pero no tiene importancia.

—¿No dice que era un dandy?

—Pensaba que no la merecía, francamente. Los diplomas universitarios volvieron a fastidiarme. ¿Quiere estupidez mayor? Me movía en ese círculo.

—Era soltero, ganaba buena plata, cambiaba el carro todos los años, ¿qué más quería? Dijo que sus amigos hasta lo envidiaban.

—Como es natural, el viejo prestigio de atleta se iba gastando de año en año. Hubiera tenido que seguir repitiendo la proeza, cosa imposible y ridícula. ¿No sabe de esos héroes olvidados que terminan sus días en un asilo para alcohólicos o locos? Podrían cometer un asesinato sólo para volver a la notoriedad. Sucede, es duro pero sucede. Me daba perfecta cuenta de la situación. Pude hacerme entrenador, como otros atletas destacados cuando se reconocen incapaces para competir y triunfar, pero no me atraía la idea. Debía inventar algo que me mantuviera arriba, ya que el carro nuevo, mi costosa ropa, mi sueldo, no podrían de ninguna manera impresionar a mis amigos que empezaban a nadar en la abundancia. Mi fuerte había sido mi popularidad pero, como dije, sospechaba que un solterón no podría seguir siendo aceptado por el grupo. Y empecé a tener fantasías con Celia: entrábamos en un gran salón, todos se levantaban para saludarnos y rendirnos pleitesía, seríamos una pareja formidable.

—Perdone, entonces no se casó por amor.

—Por todas esas cosas. Cuando habla así me suena inocente, pero el inocente soy yo. ¿No le parece espantoso que a los sesenta años se siga siendo inocente? Algo quedó torcido en mi niñez. Pero eso ya no tiene remedio. A Celia le fascinaba mi popularidad, mi vida de "mundano". Aunque no se había alejado totalmente de los círculos sociales en que se había desenvuelto hasta la fecha, en ese medio no dejaba de ser una rebelde. No es difícil comprenderlo, se sentía defraudada. Me parece que estoy hablando demasiado.

—Siga. Se ha pasado callado muchos años.

—Era abierto, le contaba mis cosas a los muchachos, apenas tenía secretos.

—Al menos los años que lleva aquí. Encerrado, casi sin hablar con nadie.

—Por todo lo que hablé en mi juventud. Un hombre puede ser tremendamente idiota, ¿verdad?

El gato saltó a la cama y se arqueó sobre su mano. Carmen lo agarró por la nuca y lo arrojó al pasillo.

—Ciérrele la puerta y no tenga miedo, conmigo está segura.

—No, muy idiota no. Desalmados sí que pueden ser. De eso puedo hablarle. Usted sabe por quién lo digo.

—Pobre Ramón. Le estarán chillando los oídos.

En el cuarto vecino el bebé emitió un vagido. Carmen volvió la cara hacia el tabique.

—Tiene hambre —dijo—. A esta hora siempre se pone a llorar.

—Por la madrugada también.

—Las primeras semanas son así. Nacen con canina. Moncho se levantaba muerto de sueño, pero sólo cuando yo estaba postrada.

El bebé se calló. En un alero cercano una paloma empezó a arrullar. Carmen suspiró.

—Desalmados sí que pueden ser.

—Su padre era dueño de una mercería. No eran ricos, pero tenían comodidades y cierto lujo, con la desgracia de vivir en una zona de gente bien; eso, entre otras cosas, lo hacía mirarme por encima del hombro. En realidad era un pobre diablo fastidiado por su hermana, una mujercita oscura que ocultaba el pelo grifo bajo una peluca, y que se desvivía por aparecer a la "altura" de sus vecinos. Celia sería la catapulta. Para ella tenía un escolta delicioso, el jovencito rubio y amanerado cuyos padres poseían plantaciones de caña y acciones en bancos y hoteles. Naturalmente, no quería ver a la niña de sus ojos y pasaporte hacia la alta sociedad casada con un vendedor de seguros. Además, en su juventud había tenido una desgraciada experiencia amorosa en su pueblo y pensaba que un hombre como yo, soltero a los treinta y cuatro, arruinaría a su sobrina. Que era como hija, porque la madre de Celia había sido internada en un manicomio hacía años. Cuando nos casamos por poco hay que meter también en el manicomio a la tía Julia.

—¿Qué tenía esa mujer contra usted?

—Ya le dije. Pero si ellos eran idiotas, más lo fui yo. Gasté casi todos mis ahorros en un carro que dejó muertos de envidia a mis compañeros de oficina y, con ese pobre instrumento de persuasión me puse a aplanar su calle. ¿No le parece estúpido? En la ventana, Celia me sonreía, me saludaba con la mano, gritándome cosas para que sus carceleros reventaran. Porque debo decirle que después de que hablé con su padre, quien resultó muy blando e indeciso, la mantuvieron encerrada y sólo salía acompañada de su tía. En lo sucesivo su padre, cuando yo trataba de hablarle, colgaba el teléfono o me volvía la espalda atemorizado. ¿Temía que mis razones resultaran irrebatibles y que terminara solidarizándose conmigo y maldiciendo a su hermana, que lo hacía vivir como a empujones? En el fondo no era más que un infeliz que se hubiera metido en el primer cafetín a tomar cerveza con los parroquianos más humildes. Pero su hermana ejercía sobre él un poder extraño del que se le hacía muy penoso sustraerse. Hasta que recibí una nota de Celia.

Carmen, que se había ido dejando llevar suavemente por el hilo de la narración, se sobresaltó.

—¿Le escribió?

—Que no quería seguir llevando vida de reclusa.

—Claro, bendito.

—Consulté a los muchachos. Mis excondiscípulos. Lo planeamos todo: la fuga de Celia con sus maletas llenas de ropa, la ceremonia civil. Celebramos la boda en un restaurante de las afueras. Celia estaba inconsolable. ¿Por qué le cuento todo esto?

—Lo necesitaba. Necesitaba contárselo a alguien.

—Sí, pero hoy... Este inventario.

—Uno tiene que sacar al sol ciertas cosas, si no, revienta.

Germán se puso a mirar el informe, sin verlo. Carmen empezó a barrer mecánicamente. Se detuvo y lo miró temiendo interrumpir las confesiones.

—Puede barrer si quiere, no me molesta. Le cogí el gusto a la cama.

Ella vaciló.

—Estaba preocupada.

—¿Se puede saber por qué?

—No había asomado la cara. Es capaz de enfermarse y no decirle nada a nadie.

—¿Por eso subió a limpiar a esta hora? ¿Tenía que traer todos esos instrumentos para saber de mi salud?

—No quería que pensara que soy una averiguada.

—¿Por qué no? Es típico de las caseras.

—No tiene mujer ni hijos, está solo, pero llega y se encierra y sé que no descansa.

Germán cruzó los brazos y la miró sonriendo, meneando de lado a lado la cabeza. Sentado en pijamas, los pies cubiertos aún por la sábana, experimentó una ciega gratitud hacia esa mujercita de brazos musculosos que lo regañaba y le reñía, que se las había ingeniado para capear quién sabe cuántos vendavales.

—Dígame, Carmen, ¿sus hijos le escriben?

—¿Esos? ¡De año en año!

—Usted es fuerte.

Llegaban los gritos de los niños y el golpe de una pelota en una pared: seguramente tenían la mañana libre. Sobre las voces menudeaba el seco golpeteo de las carambolas. El rumor profundo y obsesivo de millares de motores, de millares de neumáticos rozando el asfalto pringoso de color permanecía en el fondo de los ruídos cercanos, una sonora constante apenas percibida por su ininterrupción. Alguna vez, sobresaliendo como un campanario impalpable, resonaba el salvaje relincho de un frenazo; el aullido de una sirena podía enroscarse en el aire y del puerto vendría, desvirtuado por la distancia, pero inconfundible, el bramido extrañamente solitario y lúgubre de una embarcación. Germán contemplaba apaciblemente el vuelo de las golondrinas. Dijo:

—Si hubiéramos tenido hijos, al primero le hubiese escogido la profesión. Admiro a los padres que evitan ponerles sus propios nombres a sus hijos. Me parecen terriblemente humildes y considerados. Yo no hubiera soportado la tentación.

—Uno de mis hijos se llama Moncho, como su padre.

—Celia pedía que aguardásemos y fuimos aplazándolo. Yo no insistí mucho, ¿sabe? Y todo por la estúpida manía de figurar, de aparecer ante los otros como una pareja libre y feliz y mundana. Pero esos tiempos pasaron antes de lo que esperábamos —contempló el informe; distinguió la palabra Clarence en el encabezamiento—. Se volvió cada día más voluntariosa, exigiéndome que buscara un empleo más remunerativo. Como ya no podía costear todos sus caprichos, empezó a echarme en cara mi carencia de título, a llamarme conformista, don nadie, y esas cosas. Estaba convencida de que yo había arruinado su vida. La sorprendía mirándose en el espejo, observando con verdadero pánico cómo la piel del cuello iba ablandándose, cómo una línea empezaba a formar una arruga. Por las noches despertaba y pasaba horas en la sala fumando cigarrillo tras cigarrillo. Había adelgazado y sus labios se endurecieron, pero resultaba verdaderamente hermosa, más hermosa que antes con ese extraño aire trágico de esos tiempos. Como sucede a menudo, maduraba por fuera pero en su interior seguía siendo la misma niña terca. Una noche me contó que le habían arrebatado el trono de reina del Casino porque su padre era un fracasado, no tenía suficiente dinero y no había sabido labrarse un puesto de relieve. En esa época al menos me contaba sus frustraciones, sus secretos más dolorosos. Pero llegó el momento en que si me le acercaba me rechazaba dispuesta a clavarme las uñas. Después se sentaba de cara a la pared horas y horas sin decir palabra. Era incapaz de entretenerse con nada. Pero de repente me llevaba la gran sorpresa: se volvía cariñosa, se encogía a mi lado y me abrazaba; entonces me parecía encontrar en su mirada un viejo desamparo, una niñez solitaria, un sufrimiento que ella misma no parecía comprender, que la sorprendía indefensa y la sacaba de su habitual temeridad; abrazada a mí la sentía temblar por las noches, decir en sueños cosas confusas, nombres que luego no reconocería. ¿Serían los nombres de sus amigos de infancia? ¿Nombres que por una oscura razón había resuelto olvidar? Yo caminaba como por el borde de un risco; temía que al día siguiente volviera a su enfurruñamiento. Cosa que sucedía a los dos o tres días invariablemente. Era un ciclo que no fallaba. Cada mañana, después de consumada la extraña transformación, parecía más huraña. Ya ni siquiera leía los periódicos: temía encontrarse con la página social, con las fotos de bellezas sonrientes y triunfantes. Yo respondía a ese estado de cosas trabajando hasta la fatiga, percibiendo buenos emolumentos. Pero ya, a esa altura de fiestas en los lugares más exclusivos, de prendas caras y carros nuevos, especie de indemnización que exigía por haberse casado conmigo, mi sueldo era insuficiente. Durante cinco años vivimos inventando toda clase de malabarismos para escapar de los embargos, endeudados hasta las orejas. Estimulado por Celia, me había empeñado absurdamente en crearme la imagen pública de una especie de potentado menor. Era una fiebre atroz, estaba como mareado y veía vertiginosamente al mundo. Mientras frecuentáramos reuniones y fiestas donde pudiera exhibirse, Celia parecía feliz. De lleno en el juego me desvivía por mostrarla como un objeto envidiable. Además de mi sueldo había ideado la manera de allegarme más fondos. Así vivimos un par de años más, con mis nuevas entradas de refuerzo. ¿Tiene un cigarrillo?

—No. Puedo bajar a buscarlo.

—Déjelo.

—Le prohibieron fumar.

—Pero los sistemas de contabilidad son implacables. Un día me agarraron en pifia. Ante las miradas acusadoras de los oficiales de la compañía tuve una especie de despertar, el consabido balde de agua fría. Francamente quedé asombrado: había saltado unos principios rígidos, clavados en mi cabeza desde la niñez, sin detenerme a pensarlo mucho. ¿Hasta tal punto me había permitido participar, con la mayor frivolidad, en el estúpido juego de las apariencias? No fui a la cárcel. Me dieron la oportunidad de reponer el dinero. Lo triste es que para esos días yo sonaba para un importante ascenso que me hubiera llevado directamente a la gerencia. Pero todo el mundo falso en que había vivido se me derrumbó encima. Entonces vinieron la incertidumbre y la humillación. Con bastante dificultad conseguí empleo en una compañía nativa; pues bien, a los pocos meses estalló una protesta laboral y yo, aunque le parezca asombroso a la luz de lo que le he contado, no quise violar la línea de protesta. Desprestigiado ante los oficiales de las compañías, temía desprestigiarme más ante los subalternos. No me uní a ellos porque no había desarrollado nada parecido a una conciencia laboral; además temía afectar a Celia, sin contar que no me consideraba digno, ni con suficiente fuerza moral para hacer exigencias ante nadie, ¿comprende? Pero, de todos modos, mi propio gesto de no cruzar la línea de protesta me rehabilitó ante mi propia conciencia, infundiéndome ánimos para seguir tirando y haciéndome vislumbrar realidades a las que había vivido de espaldas. Realidades que, dicho sea de paso, hoy vengo a comprender perfectamente y que ya no me sirven de nada por lo tardío del aprendizaje —sus ojos se deslizaron hacia el informe, descubriendo nuevamente la palabra Clarence; alargó la mano y lo dejó con la escritura hacia abajo—. En ese marco de incertidumbre Celia cayó enferma. Ocupábamos un apartamento lujoso en un décimo piso, desde donde Celia solía contemplar arrobada el Condado, esa zona que parecía ser su meta y la meta de los que van enriqueciéndose y de muchos pobres que piensan en hacerse millonarios algún día. Una noche, después del llanto de Celia, me levanté y me asomé al balcón. Estuve mirando a la calle. Veía a mis excondiscípulos cargando el ataúd, a Celia de luto llorando entre nuestros amigos. Es curioso cómo se me ocurrió hacer un espectáculo de mi propia muerte. ¿Me consolaba que mi muerte los conmoviera? ¿Había empezado a sentirme ya verdaderamente solo? Apoyé una mano en la baranda y pasé una pierna, pero un ruído me hizo volver la cara. Celia estaba en la puerta, en bata; me gritó cobarde y me escupió la cara. Fue otra especie de despertar; porque era doblemente cobarde matarse, abandonarla cuando empezaba a ser consumida por la enfermedad —volvió la vista hacia el techo; la cucaracha había desaparecido; Carmen escuchaba con las manos enlazadas en el tope del mango de la escoba, apoyando la barbilla sobre el dorso de las manos; Germán continuó tranquilamente, como si narrara la historia de dos desconocidos—: En lo sucesivo fuimos viviendo en apartamentos cada vez más modestos. Trabajé dos años en una pequeña compañía, pero luego me enteré de que necesitaban gente en la Ohio. Roque, uno de los organizadores de la empresa, me aceptó sin vacilaciones. Ganaba poco, ya no me interesaba demasiado el dinero, y encima tenía que pagar las deudas de muchos años de estupidez. No hablo de los últimos años, de las apreturas de esos tiempos de médicos y medicinas y sufrimientos, porque eso ya usted lo sabe.

Miró a lo alto; la cucaracha había reaparecido y se deslizaba a lo largo de la rendija; se detuvo husmeando y desapareció apresuradamente. Un niño lanzó un chillido sobre los golpes de las carambolas, sobre el inextinguible rumor de los motores. En el bar del otro lado de la calle, el gramófono empezó a zumbar.

—Todo eso es pasado —dijo Carmen.

—Uno recuerda sus errores, y duelen.

—Además, ¿qué? Golpes, sufrimientos, amenazas, humillaciones, eso también es la vida.

Germán volvió la cara y la miró, fuertemente sorprendido; estiró el brazo y le estrechó la mano que ella había dejado caer a su costado.

—Sí, también; es verdad.

—Con tal que se cuide, que siga los consejos del doctor. Le quedan años por vivir.

—Un hombre puede ser idiota —sonrió lentamente—, pero no tanto como para ignorar ciertas clases de achaques. Un infarto cardíaco es un aviso contundente, la primera llamada.

El gramófono se silenció a mitad de canción. Se escucharon voces airadas, luego otro disco empezó a chirriar un rock.

—Todavía no me ha dicho qué le pasó en estos días.

—Tiene una habilidad tremenda para hacerme hablar. No hace más que entrar con su escoba y rompo a chacharear como una cotorra. El Servicio Secreto debería emplearla. Tuve que trabajar duro. Por eso me veía llegar así. Me pregunto si valió la pena.

—¿Trabajar duro?

—No ahora, sino siempre. Matarse para nada. Sigo mis confesiones.

—¿Se siente mal en contarme sus cosas?

—No, creo que no. Al menos ya no tanto. Además puedo confiar en usted, no tiene demasiadas amigas a quienes contarles la historia.

—No es nada tan nuevo para contar, no crea. Cada uno tiene lo suyo guardado.

—Basta escuchar, ¿verdad? Escuchar atentamente y en seguida se nota que cada cual anda con su fardo a cuestas. Una sola palabra sirve para descubrir la tragedia, una sola y dicha sin pensar, sin querer, una sola —se sintió repentinamente conmovido porque la casera lo escuchaba y los niños jugaban abajo y hacía un sol caliente, absolutamente vivo, que vigorizaba a los árboles y les estampaba colores de fresca savia en las hojas, y añadió—: Sería maravilloso que todos los hombres y mujeres del mundo nos reuniéramos en una enorme plaza y que nos abrazáramos llorando de la alegría de estar juntos; no separarnos, quedarnos abrazados sin que se escape nadie, pena de muerte al evasor, al traidor que amenace abandonar la primera gran concentración verdadera. Reunidos, que todos sintamos el peso de todos, que todos carguemos los fardos de todos, que la soledad de cada uno desaparezca y se haga la soledad de todos, que yo deje de ser yo y sea tú y todos a la vez y tú seas yo y haya nada más que un solo yo verdadero, uno sólo, un yo único y avasallante, una unidad espléndida. Ni árboles ni objetos entorpeciendo la gran multitud, sólo el hombre en contacto con el hombre, ¡qué bueno reconocer en ese yo desconcertante que sufrimos juntos, que vivimos juntos, que pereceremos juntos, que tenemos un mismo nombre y una misma sangre!

Carmen lo observaba absorta, asintiendo imperceptiblemente. Germán trató de ocultar bajo la sábana el temblor de sus manos.

—Yo entiendo —repuso ella—. Todo el mundo siente lo mismo, nadie lo dice pero todo el mundo lo siente.

—Nunca se me había ocurrido una asamblea semejante —sonrió forzadamente—, no se me había ocurrido pensarlo. Pero aunque no sea posible, la idea no deja de ser buena. Quizá bastaría que cada uno piense que está presente en esa gran asamblea, que lo piense con fervor, diría que con fe, para que sintiera la cercanía de todos los corazones. ¿No sería formidable?

—¿Qué le pasa? ¿Por qué habla así?

—Piénselo, ¿no es un proyecto hermoso?

—Sí, sí, lo es, pero me turba.

—Hay un momento en que nos parece hallar la clave del acertijo que nos ha inmovilizado toda la vida. Es como una revelación. Entonces empezamos a ver a fondo lo que antes mirábamos con tanto éxito como un ciego, y a nombrar las cosas por su verdadero nombre. Todo se aclara, desaparecen los misterios, se desvanecen los mitos; quizás es que simplemente descubrimos que hemos estado espantosamente solos, alejados de los otros y empeñados en una lucha sorda y egoísta; de pronto reconocemos que es injusto, que no puede ser, que es preciso, obligatorio que abandonemos de una vez por todas la caverna donde hemos vivido encerrados creyendo que ese encierro es lo normal y lo lógico y lo plausible y lo humano.

Carmen se restregó los ojos, y Germán pensó que la había golpeado injustamente, que había activado ciertos resortes secretos, produciéndole una gran molestia; que había cometido una torpeza imperdonable. Al mismo tiempo le sorprendía que aquella mujercita tosca y sin educación, dedicada a una vida de ajetreos concretos, reaccionara conmovida ante sus oscuras, inseguras palabras.

—Le agradezco que me haya permitido esa confesión. No sabía que tenía tanta necesidad de contarle algunas cosas.

—Cada uno tiene lo suyo guardado. Cuando Moncho se fue me encerré en mi cuarto y no le presenté la cara a nadie. Por las tardes salía muy campechana y pintada como para una fiesta, pero nadie sabía que pasaba el día llorando.

—No esté muy segura de eso.

—Al menos no me vieron, no me dio la gana de que me vieran llorar. Venían a buscar un grano de ajo, una pizca de sal, para hacerle coqueterías. A veces pienso que no era malo, un hombre tiene un límite. Lo buscaron y lo encontraron, pero yo salí perdiendo en el juego. En la cocina, en el pasillo, aquí, usted se pone a bromear conmigo. Moncho esto, Moncho lo otro, ¿y qué quiere que haga? Yo le contesto según me habla, nada más.

—Pero no me contesta bien, quiero decir...

—¿Quiere que dé cuenta de mi vida delante de los otros? Empezó su confesión, muy bien, yo no me opongo. Ahora aguante la mía.

—Con gusto —Germán se sentó en el borde de la cama—, puede empezar.

—No se prepare como un cura. Ya se lo he confesado todo, bromeando y en serio. Que se fue, me dejó por otra, y que a veces pienso, aunque diga lo contrario, que no era tan malo.

—¿Trataba de comprenderlo?

—Era mi marido, figúrese. Venía cambiado del cafetín, esas cosas malas que se les meten en la cabeza a los hombres. Usted no lo creerá, se reirá de mí porque no tiene fe, pero hacía tiempo que le estaban haciendo un trabajo por ahí. Rezos, oraciones, y el olor de la albahaca blanca llegaba hasta la cocina. Ella se pasaba azotando la casa con ramos de albahaca. Para alejar lo malo. Pasaba remeneándose, con la saya en el muslo. Como Moncho no le hacía caso, se buscó la albahaca para que la ayudara. Se le fugó al marido con Moncho.

Germán tuvo un sobresalto.

—Entonces era casada.

—Yo era incrédula, pero después de eso empecé a creer en los poderes. Sí, casada, y ante la Virgen. Un hombre buenísimo y trabajador. La tenía como a una niña de sociedad. Y le hizo lo malo. Siempre pasa eso, ¿verdad?

—No siempre —la escudriñó—. ¿Por qué tiene que pasar siempre?

—Lo emborrachaban para oírlo recitar poesías a la mujer, cosas que se sacaba de la cabeza. Un día le dejaron una cabeza de buey comida de gusanos en el balcón. Le gritaban cosas; yo perdí a Ramón, pero él tenía que sufrir más que yo, figúrese, no es lo mismo. De sol a sol para tenerle las cosas que quería. Era maestro carpintero, pero se perdió... Gracias a unas amigas pude respirar y seguir tirando. Porque me iniciaron en la fe.

—¿Qué se hizo el marido engañado?

—¿El carpintero?

—Sí.

—Desapareció. Está en Nueva York.

—El refugio. Entre tantos millones se puede esconder la cara.

—Allá están ellos también. Tienen una tienda.

—Si viene, ¿lo perdona?

—Soy vieja; no vendría por mí, sino por la casa.

—Puede que no.

—Las cosas se enfrían con el tiempo.

Germán la miró, asintiendo, se apoyó en las manos y se desplazó con una mueca, recostando la espalda contra el cabezal.

—Algunas —dijo—, algunas se enfrían. De repente uno se da cuenta de que está viejo, y sin embargo le siguen los mismos miedos de la niñez, las mismas obsesiones, las mismas dudas. En el fondo sigo siendo el mocoso que chilla para que su madre le compre un helado. No me reconozco distinto, no puedo reconocerme distinto. A los ocho años me gustó una niña en una fiestecita; no se lo dije, claro, pero experimenté el mismo sentimiento que experimentaría hoy; lo único que ha cambiado es la estrategia. La miraba con ojos golosos, como lo hubiera hecho diez o veinte años más tarde; le jalé las trenzas, fue la manera de demostrarle mi enamoramiento —Germán se acomodó un poco más, estirando las piernas—. Me pregunto si se parecía a Celia. Creo que sí. Tal vez no hice más que buscar a aquella niña en otra persona, no sé si la sustituí por Celia justamente porque uno no cambia. No se ría, pero tengo la impresión de que la vida de un hombre es como una línea que se va ensanchando con los años, pero sigue siendo, claro, la misma línea, y lo que ha sucedido en el extremo angosto donde comienza, sigue repercutiendo con pasmosa claridad hasta el final. Uno se asombra de que después de tantos años, con vaivenes o sin ellos, siga siendo el mismo niño, que nada haya cambiado radicalmente, que nada haya cambiado de verdad. Por eso cuando alguien me dice "luces distinto" o "has cambiado" dudo de su palabra, no puedo evitarlo, y me parece que indeliberadamente o no está mintiendo. Porque por desgracia lo único que cambia es la piel, lo exterior, el estuche; de repente uno advierte que tiene la cara llena de arrugas, que pierde el pelo, que el corazón no resiste, que se pierde la cintura y la piel se llena de manchas. Me parece injusto que la naturaleza cargue a un niño con esas señales de destrucción... Estoy a punto de apartarme de la vida que llaman útil, y sin embargo la experiencia de aquella fiestecita de niños está ahí, estoy tirándole estúpidamente de las trenzas a una niña que ha envejecido exteriormente y que quizás esté enterrada y llorada por sus nietos. Sus ojos están ahí, mirándome con un disgusto que todavía no se ha borrado y que todavía me duele. Uno nunca se prepara, pasa de prisa por la vida y termina como empezó, con los mismos miedos y pesadillas y satisfacciones insignificantes. No hay tiempo para aprender y aplicar el conocimiento, todo pasa demasiado rápido.

—Está hablando como si se fuera a morir hoy.

—No. Sé que duraré algunos años más.

—Hay que tener algo que dé ánimos para vivir.

—Habla como mi médico. Estar al tanto de cuestiones políticas, entregarme a la causa, defender un ideal. Toma de conciencia, le llama. Como cardiólogo es muy original.

—Jubílese, júntese con una buena mujer. ¿Qué se hicieron sus amigos?

—Una viuda. Usted sería la madrina. A veces me encuentro con alguno. Vamos a tener una velada a fines de mes.

—Es mala cosa pasar la vejez solo.

—Odio esa palabra.

El bebé empezó a llorar nuevamente.

—¿Tendrá hambre todavía? —dijo Carmen.

De la calle llegaba un vocerío, el violento ruido de suelas y tacones rascando el asfalto. Carmen corrió a la ventana.

—¿Qué pasa? —preguntó Germán.

—Están peleando.

—¿Los conoce?

—Uno no es del barrio. Nadie los separa.

—Me lo imaginaba.

—El hombre está sangrando.

—No aceptan que otro gallo se cuele en el gallinero. ¡Qué diría Meléndez!

—Lo agarró por el cuello. Va a estrangularlo y nadie hace nada.

—Cálmese. No creo que lo permitan. Dice verdades como un templo.

—¿Cómo dice?

—Meléndez. Se matan por cualquier insignificancia, pero se chupan mansamente cosas por las que vale la pena coger el fusil. No me excluyo.

Se escuchó un grito de mujer, luego las voces de los hombres sonaron desgarradas. Carmen se inclinó ventana afuera y se puso a gritarles. Germán se paró a su lado. Vio el remolino de espaldas agitadas, las piernas tendidas en el suelo, la mujer que mantenía la boca abierta en un grito silencioso. Después de un largo y confuso forcejeo resonó el silbatazo de un policía. El grupo se deshizo a la carrera. El hombre quedó sentado contra la pared del cafetín, sobándose el cuello, sangrando por la nariz. El policía se le acercó despacio, giró una mirada lenta a su alrededor y le hundió la punta de la porra en las costillas.

—Iban a dejar que lo mataran —dijo Carmen—. Y ahora nadie sabe nada, nadie vio nada.

—Hemos pasado una mañana estupenda. No esperaba mis confesiones, ¿verdad?

—Después dicen que no quieren perder el tiempo en los tribunales.

—Siempre pasa. Son tan excelentes ciudadanos como yo.

Carmen lo encaró con cómico enfurruñamiento.

—Cambia como una veleta —dijo—, ya empieza con sus pullas.

—¿Puede prepararme algo de comer? Tengo una hambre endiablada. Mientras tanto voy a cambiar mi ropa de convaleciente por la de capitalista. Cambie la cara, no quiero que recuerde cosas tristes.

Carmen atravesó la habitación.

—De buena gana los denunciaría —agarró la escoba—. Bueno, esto lo dejaré para después. Puede vestirse, no me interesa mirarlo.

—Despecho.

—Ya no es un niño lindo —cogió el balde y se detuvo en la puerta—. No tarde mucho perfumándose.

Germán le tiró un beso. Después cerró la puerta y empezó a vestirse.

NO LE IRRITÓ que el autobús se detuviera a causa del embotellamiento (contratiempo absolutamente previsible a cualquier hora del día) mientras brillaba el cromio, destellaban las vitrinas y el mundo lloraba de calor. Acostumbrado al aliento pegajoso y cargado de bochorno, resultaba reconfortante contemplar desde el autobús las escenas de las aceras, las caras que aparecían fugazmente, parecidas a otras caras sepultadas en la memoria, los gestos identificables por su clara, inconfundible significación.

Delante del parabrisas, sobre las cabezas que se bamboleaban levemente, se arrastraban cuatro hileras de autos. El chofer sobresalía dibujado en la ventanilla en uniforme gris, mirando por encima de los autos hacia el lejano semáforo, incrustando la vista en el espejo retrovisor y acariciando rodillas, senos saltarines, panoramas preferibles a las avenidas reverberantes de sol. Pero el tejido de automóviles se deshilachó en algunos puntos y, ladeando el hombro, arqueándose más, el chofer reanudó el movimiento de la máquina. Caras, callejones, depósitos cerrados, marquesinas, garajes, tapias forradas de cartelones propagandísticos desfilaban por las ventanillas.

—La temperatura habrá subido a cien —dijo Germán.

La mujer no lo miró; en el sofoco asfixiante del mediodía, la pintura se le había corrido en las mejillas; el sudor goteaba de las sienes, formando una pasta con el maquillaje; olía a sudor fresco y a almizcle agrio, humano a fuerza de embadurnar la piel de poros dilatados.

—No es el calor. Lo malo es que no avanza.

En todos los asientos conversaban animadamente. En la parte trasera, donde el motor lanzaba momentáneas bocanadas de calor, un hombre mantenía en alto un monólogo, como un estandarte. Cuando vencía su ensimismamiento habitual, Germán se sorprendía de las palabras tensas de curiosidad, pensando que un viaje de pocos kilómetros podía ser una empresa bastante extraña: encerrados en la cápsula de acero, arrancados del estatismo de las aceras, los anónimos viajeros se sorprendían flechados por la urgencia de ubicarse claramente entre los otros. En medio de la avenida cuadriculada de parches de asfalto reblandecido, la minúscula, instantánea comunidad se entregaba a una discusión llena de risas y chifletas. El chofer fijaba una mirada falsamente impasible en el retrovisor, marcado por los sucesos que arrastraba tras de sí, condicionado indudablemente, aunque en forma casi insensible, por los insignificantes eventos que quizá narraría sin entusiasmo a su mujer.

—Es el tapón —bostezó Germán.

—Cada día está peor —la mujer se contempló con disgusto en un espejito—. Voy a llegar tarde.

—Hay que salir con una hora de anticipación, no hay más remedio.

—Pero yo no puedo. ¿Quién se hace cargo de los niños?

—Entonces lo mejor es tener una lista de buenas excusas. O dejar las citas para más tarde, ¿no le parece?

La mujer miró fuera de la ventanilla, por donde asomaba lejano el mar. Germán también miró, apreció el silencio momentáneo mientras su mirada recorría la explanada incandescente surcada por largas tiras de reflejos. Inmóvil en medio del azul profundo, un yate desplegaba su ala blanca y afilada; en proa, una pieza metálica destellaba intermitentemente con el movimiento de las olas, como si transmitiera un mensaje en clave. Un guardacostas bogaba oscuramente hacia la línea perfecta del horizonte. Alcatraces y gaviotas se arrojarían en picada y remontarían vuelo con un pez plateado coleteando en el pico, se dejarían columpiar por las corrientes de brisa como cometas descontrolados. Lejos de los arrecifes se adensaba una plataforma de nubes; sus bordes se difuminaban descolgándose hacia el mar en varias columnas de humo ceniciento y perforado por una luz mate.

—Si abrieran nuevas avenidas —gruñó la mujer—, o si el servicio de guaguas fuera mejor, la gente no se vería obligada a comprar carros y se evitarían tantos tapones.

—Es verdad. No mejoran el servicio porque afectaría la venta de carros. Todo está bien planeado.

—He estado cuarenta y nueve minutos esperando una guagua, por reloj. Figúrese mi caso. Darle de comer a tres muchachos para mandarlos a la escuela. Y si uno hace un compromiso para dos horas más tarde no puede cumplirlo: o la guagua no aparece, o los malditos tapones. Sin contar que es caro, un taxi no resuelve nada porque por todos los atrechos que coja va a encontrar tapones, y si se mete por callejones sin carros la vuelta sale por un ojo de la cara, figúrese. Ya llego tarde, qué remedio.

—Tendrá que tener lista una excusa. Bastará que explique lo del tapón.

—¿Excusa? ¡Ya se habrá ido!

El sudor seguía fluyendo con regularidad mecánica; en el mentón una gota empujaba una pequeña masa de polvo sucio. El colorete corrido, la pintura agrietada en los labios, la mirada obstinada bajo el fruncido entrecejo le daban aires de persona que sufre terriblemente. Pero era sólo eso, lo exterior, la máscara derritiéndose en el sofoco.

—A lo mejor la llama.

—No tengo teléfono, señor —contestó con una pizca de impaciencia—. Y aunque lo tuviera, no me llamaría. Lo conozco como a mis manos. No me llamará nunca.

Germán llevaba las manos inertes sobre el portafolios. La mujer le miró las manos, o tal vez miró el portafolios en cuyo interior vibraba el informe. El autobús rezongó vivamente. El parque Muñoz Rivera apareció polvoriento; árboles desgreñados resquebrajaban aceras con una sola raíz, levantándolas como lápidas desusadas, haciendo reventar los bancos circulares abrazados a sus troncos. Rodeados de muros de cemento asomaban toboganes y columpios desvencijados. Un paseo agrietado ondulaba bajo una profusión de copas encabritadas por la falta de poda. Sacudidas por la brisa, las hojas ensayaban arrastrados movimientos de vuelo, alfombrando el arroyo. Hacia el lado de Germán, separado por una franja de carretera atravesada de yerbajos, se distendía abiertamente el Atlántico.

—Usted es comisionista, ¿verdad?

—Trabajo en una agencia de seguros. Pero no se preocupe, no trataré de venderle nada. Soy supervisor.

—Entonces es mejor —sonrió; a Germán esa sonrisa le pareció untuosa y fuera de lugar.

—¿Qué hará cuando llegue y no lo encuentre?

—¿Yo? Nada. Ya le digo, si ni siquiera lo puedo llamar.

—Pero habrá una manera de... Digo, de ponerse en contacto, no se separarán por...

—Un día aparecerá por casa y formará un escándalo delante de los muchachos. Siempre hace lo mismo. Se va a llevar una sorpresa, ya verá. Usted también va tarde, ¿no?

—Todavía no es la una.

—¿Entra a la una?

—No es necesario. Tengo más tiempo libre del que necesito.

—Si yo pudiera decir lo mismo. Hoy los hice almorzar a las once, ya ve, por cumplir el compromiso. No vale la pena sacrificarse por nada ni por nadie. ¿Qué pasa? ¿Otro tapón?

Cuatro columnas de autos avanzaban con exasperante lentitud; sus extremos desaparecían en una curva ligeramente empinada. En la costa se entreveían edificios cuadrados, de ventanas alambradas, entre cocoteros plantados artificiosamente sobre el barranco asomado al mar, casas reservadas para militares y sus familias. Clarence no era un militar.

—El día está lindo a pesar de todo —la mujer consultó su reloj—. Lo bueno que sería irse a la playa.

—A dos pasos del mar y a uno no se le ocurre disfrutar de un placer tan simple y al alcance. Ni siquiera cuesta dinero.

—Conozco un sitio. Hay un saloncito de baile.

—¿Es donde él la lleva?

—Imposible. Nunca me lleva a ningún sitio. Pero usted tiene que trabajar, ¿verdad?

—Desgraciadamente.

El monólogo persistía en la parte posterior, coreado por risas y comentarios. La cúpula del capitolio asomó sobre las cumbreras llagadas de salitre, una masa blanquecina, reluciente contra el cielo. Aparecieron las columnas, la terraza superior, y las dos banderas ondearon en sus mástiles. Más arriba se distinguían las terrazas almenadas del Fuerte San Cristóbal. Adivinó los profundos corredores hundidos en una oscuridad húmeda, los depósitos retumbantes de silencio centenario, las cavernas que vibraban con densa sonoridad ante el más insignificante ruido, vastas rampas, misteriosos aljibes sellados durante más de un siglo; escaleras de caracol perforaban como tirabuzones la sombra olorosa a moho y a madera húmeda, atornillando caminos verticales desde los túneles cavados en los roquedales de la playa hasta la vasta terraza donde permanecían cañones que habían atronado la ciudad con bramidos de hierro y pólvora. Espacios colmados de luz y aire irrumpían sorpresivamente ante los pasillos más siniestros, detrás de barrotes enfrentados al mar. El viento se desgajaba en pasadizos a los que les arrancaba arpegios de viola, gorjeos de pájaros, acordes huecos en el centro, contaminando de ecos aposentos destimbrados y olvidados de voces humanas, produciendo lamentos de ocarina en los resquicios de las puertas. En algún punto se guarecían largos cañones modernos, resonaban otras voces en otro idioma, bajo otras banderas.

Los murallones del fuerte llenaban las ventanillas. Aparecieron el brazalete y el casco con las siglas MP. Sus ojos se volvieron a prender de las exclamaciones políticas pintadas en el muro. La cara de Meléndez, aguzada y pertinaz, sobrenadó entre los letreros. Germán agradeció esa intrusión inesperada.

—Alquilan trajes de baño —dijo la mujer—. Y no es caro.

—Tal vez la esté esperando. Estará molesto, pero cuando la vea llegar corre y la abraza.

—No, se habrá ido. ¿Es necesario que trabaje hoy?

—Sí.

—Viernes. Fin de tanta lucha de la semana. Vale la pena celebrarlo.

—¿Viene a menudo a San Juan?

—Todos los viernes a esta hora.

—Nos encontraremos. No olvido una cara.

—Me llamo Rosa.

Alargó una mano húmeda, extrañamente juvenil, de largas uñas pintadas. El autobús bufó y se detuvo resoplando. Una cola sudorosa, impaciente y desordenada se apretujó ante la puerta. En el remolino de pasajeros, la mujer susurró:

—¿Qué pasa, no me acompañas?

—Correrá a abrazarla. Estará allí molesto, pero esperándola.

—El viernes. Aquí mismo, en la parada. Lo espero.

—Adiós —forcejeó abriéndose paso—. Hasta pronto, Rosa.

NATURALMENTE, NADA impedirá que siga ejerciendo la medicina, aunque le dedique menos tiempo —Jorge hace girar el vaso medio vacío entre sus dedos—, pero lo más seguro en estos tiempos es la tierra. Bienes raíces, mis amigos, si quieren ofrecerles un futuro sólido a sus hijos. Este es un país pobre, pero circula el dólar. La cosa es saberlo atrapar. La guerra dejó muchos muertos y enormes pérdidas en Europa y Asia, pero trajo un progreso relativo a Borinquen. Piensen en esas tierras que rodean a Río Piedras y Bayamón, ideales para urbanizar. Es el momento de hacer las inversiones, cuando todavía se puede conseguir un buen lote a bajo precio. Elena, un poco más de hielo, please. Esos miles de veteranos necesitan casa, ahí hay un excelente negocio. Hielo, Elenita. La muchacha está libre y no viene mal que la fiel esclava se ocupe abnegadamente de su marido. Jorgito, Astrid, ¡a la cama! Hay otra realidad: éste es un país de gobierno estable. El peligro del cuarenta pasó. El Vate se dejó de soñar musarañas y de poesías y se encarriló debidamente, realistamente, debo decir. Nada de separatismos. Amalia, no pongas esa cara. Sólo expreso mi opinión; estamos en un país democrático, ¿no? Sergio, Charlie, ¿un whisky? Galgo, el whisky no te hará perder la línea, no tienes por qué preocuparte, te lo digo como médico.

Señores, la tierra, la tierra. Yo he vendido buena parte de la tierra que ustedes pisan.

La caoba, el cristal, los espejos de marcos suntuosos se funden en un solo resplandor bajo la araña de la sala. Los cubitos de hielo tintinean en las copas, golpean los dientes, destellan brevemente. Una melodía se alarga melancólica en hombros de flautas y violines. Huele a detergente, a lavanda, a whisky escocés, a costosa utilería, a pasamanería verdedorada.

—Terminarás anquilosándote —dice Amalia—. Te dedicas a especular con la tierra que Dios nos dio, mientras necesitamos médicos.

—Especular. No cambias, Amalia. Pero prometo atender ambas obligaciones. Tengo verdadera vocación de médico. ¿No te parece admirable lo bien que Germán guarda la línea?

—Los sufrimientos del soltero —responde él—. Si tuviera una guarida como ustedes, paz, tranquilidad... Pero para ganarme la vida tengo que reventarme.

—No llores, *One day yes* —la cara roja de Sergio se pliega en una mueca—, no te va nada de mal.

—¿No está sonando el teléfono, Elenita?

Un tanto gruesa, el pelo recién teñido de un dorado rojizo, Elena toma el auricular.

—Es para el corredor.

—Las mantienes bien informadas, ¿ah, *One day yes?*

Germán habla unos momentos y cuelga.

—Lo hace para darnos en la cabeza. ¿Piensas vestir santos? ¿Esperas una princesa? Te presentaré una —Jorge mira su reloj—. Supongo que vendrá pronto... Casarme con mi decoradora de interiores fue lo mejor que me pudo pasar. Un cubito de hielo, Elena. ¿La imaginarían doctora? Con un matasanos en casa basta. Un whisky, Germancito, no nos vas a despreciar.

—No bebe —dice Carlos, admirado—. El whisky no se hizo para bañar caballos, atleta.

—¿Cuánto tiempo hacía que no nos veíamos? Eres un falso, Germán. Corriendo, pero esta vez detrás de las faldas. ¿Piensas vender seguros toda la vida?

—Es mi trabajo, Jorge. No intento matar a nadie con licencia de médico.

—Pero el seguro no es tan seguro, *One day yes.*

—Para los que no lo trabajan, no. Soy un profesional. Es mi modo de ganarme la vida.

—Bienes raíces, bienes raíces. Tiene futuro. Vendrán los repartos de casas; subirá el precio de la tierra. Hay que meterse ahora, cuando es posible conseguirla regalada. Nena, pon alguna cosa en el tocadiscos. Nada de gritos, por favor.

—¿El Cuarteto Flores?

—Algo semiclásico. Valses, algo. ¿Saben? Estoy sufriendo de dolores de cabeza.

—Hombre, quién como tú para recetarse.

—¿Han visto a un barbero recortándose a sí mismo? ¿Quieres algo más, atleta? Pica algo; unas aceitunas, anchoas, no temas, no engordarás, te lo digo como médico. ¿Quieres ver las fotos de la universidad?

—No, gracias.

—Elena y yo, y tú en el medio. ¡Qué tiempos aquellos!

Amalia empuja una silla de ruedas, en la que está sentado un hombre de unos cuarenta años.

—¿Tu esposo no va a tomar nada? —le pregunta Elena.

—¿Quieres algo, Julio? —Amalia se inclina solícita

sobre su marido—. ¿Un refresco? Una gotita de ron no te haría daño.

—No, no, muchas gracias.

Amalia sonríe y lo conduce hacia el amplio balcón.

—¡Bendito! —dice Elena.

—¿Dónde lo conoció?

—En el hospital —responde Jorge—. Tiene un corazón del grande de esta casa. Recalcitrantemente virgen.

—No hables así, Georgie.

—Germán, ¿te acuerdas de lo juntos que estaban siempre? ¡Qué de vueltas da el mundo! Para ti era una hermana, ¿no? Pudo haber estudiado algo con más futuro. Era la número uno de la clase. ¿Saben cómo quedó inválido? En la Masacre de Ponce. Seguidor de Albizu. Siempre sospeché que Amalia tenía algo de eso; admira a los inconformes, la pobre. Pero es nuestra compañera, ¿nos debe importar su manera de pensar? Elena, se acabó el disco. Mira a ver si Amalia quiere algo, por favor. Atleta, te ofrezco la oportunidad de que te asocies conmigo. ¿Te interesa?

—No, no me interesa. Creo en mi negocio. La gente tiene que protegerse contra determinadas eventualidades. Me tomaré un whisky.

—*Serve yourself*. ¿Por qué no montas un gimnasio? Podrías ser maestro de educación física, ¿no?

—Qué empeño en meterte en su vida, Georgie. Y eso que llevas nada más que tres drinks.

—Confieso que no soporto que este hombre se mantenga en línea; que siga siendo el mismo tipo mundano. Bueno, ¿se baila? Que los maridos bailen con sus maridas.

Seis parejas regordetas bailan plácidamente. Con el vaso en la mano, sonreído, observa. Cuidarse de mantener la línea. Elena tiene una pequeña papada. Sus ojos le sonríen, un destello dorado orlado de lila; probablemente una de las mujeres más bellas del país; decoradora de interiores; le sienta el oficio; gusto y sensibilidad para colores, composición, ordenamiento de volúmenes, mobiliario; armonía. Jorge no tiene de qué quejarse. Vuelve la vista llevándose el vaso a los labios. Amalia está recostada en la baranda; le habla a su marido, ríe, lo escucha; admira la serenidad de su rostro, la seguridad de sus ademanes; en ningún momento alza la vista hacia él. Dos niños pasan persiguiéndose por la sala.

—¡Jorgito, Astrid! —gorjea Elena—. ¡A la cama!

—Han crecido mucho. ¿Y los tuyos, Sergio?

—Estarán asesinando a la sirvienta. Espero vivir lo suficiente para llegar a ver tu prole.

—Te honraré nombrándote padrino del mayor.

Se descubre en el espejo de marco dorado. Aprecia su silueta alta, delgada, sólida. El bigote meticulosamente recortado rojea en su cara rubicunda y un tanto cuadrada. La corbata oscura contrasta con el blanco nítido de la camisa, armoniza con el gris pálido de la chaqueta. Mientras mantiene en su mano el alto vaso, reconoce en sus movimientos una reposada y expresiva cualidad. Treinta y cuatro años. Quisiera permanecer en esa edad, le sienta terriblemente. A través del ventanal puede columbrar el Chevrolet brillando bajo el alumbrado público; su interior acolchado lo recibe con un denso olor a cuero nuevo; un rayo, una centella dominada por su pie. Las chicas se arrellanan en sus profundos asientos como en un trono, deslumbradas por el brillo del cromio, hundiendo los pies en la alfombra, introduciendo las manos en los bolsillos de las portezuelas. Mientras maneja orondo, la chica de turno acurrucada a su lado, vestido rigurosamente según la moda, los peatones le miran con resentimiento. Dandy es la palabra, ¿no? Su pareja dentadura se refleja blancamente en el espejo.

Resuena un sonoro dindón. Elena se contonea hacia la puerta.

—Debe de ser Celita —clama Jorge—. Atención, Galgo, se acabó tu soltería. No te asustes de su escolta, es un tipito así, aunque podrido de plata.

—¿De quién me hablas, ilustre matasanos?

—Verás. No, en serio. Invitamos a una linda parejita. Ella lo detesta, pero no la dejan salir si no es con él. Verás. Aguántate, Galgo, no volverás a correr. Al menos con faldas. ¿Un whisky? ¿Un ron? Sergio, mira eso, con perdón de Elisa. Hija de un cliente, digo, de un paciente. Atención, señoras y señores.

Redoble de tambores, claro fraseo imponente de cornetines. Ella avanza charlando con Elena. Un joven rubio las sigue mansamente, vestido con conservadora elegancia.

—Linda, ¿ah, *One day yes*?

No responde porque acecha la presa tirándose de la chaqueta, manipulando el nudo de la corbata. Carraspea sacando el pecho, escudriñándose en el espejo donde rutilan otras luces.

IRRUMPIÓ EN LA sala medio vacía y se dirigió a Maribel.

—¿Clarence está muy ocupado?

—Buenas tardes —dijo Maribel.

—Dígale que quiero verlo.

Antes, pensó, no era así. Durante su incumbencia, Roque permitía que sus empleados entraran a verle sin ceremonias; con ese propósito mantenía la puerta siempre abierta.

—Está ocupado —respondió Maribel.

Germán descorrió el cierre del portafolios, sacó el informe y se dedicó a ojearlo una vez más. De vez en cuando la imagen sudorosa, extrañamente atormentada de Rosa se entrelazaba a algunas de las frases que esa mañana, sorpresivamente, había dirigido a su casera. Rosa y Carmen tenían una sorprendente semejanza. Carmen había elegido el espiritismo, ese asidero del otro mundo, Rosa se lanzaba todos los viernes a una aventura improbable, corría hacia una anhelada salvación momentánea; cabía la posibilidad de que el hombre no existiera aún, que justamente lo inventara en el penoso recorrido, que él, Germán, hubiera llegado a encarnar esa invención necesaria mientras resonaban otras voces, otros ovillos deshilándose, tejiendo relaciones entre desconocidos.

Clarence se aproximaba acompañado del joven cuya

foto Germán había visto en la solicitud de trabajo. Se inclinó cortésmente, murmuró buenas tardes en español y desapareció. Vestía de gris claro con corbata roja. Su piel estaba notablemente tostada. Lo imaginó tumbado bajo las palmas en las caldeadas arenas de Luquillo, rodeado de compatriotas y de múltiples chucherías: el tocadiscos, un encendedor en forma de fusil, la estufita para freír salchichas, un radio estilo cajetilla de cigarrillos capaz de sintonizar remotas emisoras, el insecticida perfumado, la refrigeradora portátil, una brújula, el transmisor de señales, una bombita de oxígeno, mantas, servilletas, whisky, el New York Times doblado en la página financiera, cubiertos desechables, un best seller: *The spy who came in from the cold,* el block donde escribiría bajo un cocotero: "Querido papá, soy feliz en esta isla deliciosa." De todos modos, pensó molesto por su propia sonrisa blanda, el tipo no deja de ser simpático.

Maribel le habló. Se sintió incómodo. "Puede pasar", como a un advenedizo.

Al principio dejó vagar la vista por las paredes, irritado por la cara rozagante, de campesino melenudo y sólido, de Benjamín Franklin, pero luego la curiosidad lo inclinó sobre el recorte periodístico armándose de una oscura excusa para justificar la insignificante transgresión. Clarence sobresalía en medio de un grupo de hombres y mujeres sonrientes, disfrazados con vestimentas folklóricas, tocados con amplios sombreros campesinos. Tenían copa en alto. En el fondo resplandecían ramilletes de luces sobre un decorado compuesto de palmeras, suaves colinas y una luna con ojos y boca sonrientes reflejada en un río lleno de meandros. La foto debió ser tomada en uno de los soberbios hoteles del Condado. El calce leía: "Inauguran Campaña Contra la Gastroenteritis." Germán, que había entrado molesto a la oficina, no pudo reprimir una nueva sonrisa. Su jefe, ese joven extranjero agresivo y lleno de vitalidad, poseía una astucia que no sabía si calificar de admirable. Pero pensó de inmediato, cerrando la sonrisa, que el ambiente no dejaba de ser propicio en un país donde sobraban las genuflexiones. En el momento en que se apartaba de la foto, entró Clarence.

—Fue en la inauguración de la campaña —le indicó una silla—. Fui honrado con el nombramiento de presidente de la campaña para 1969, honor que no merezco, pero al que trataré de estar a la altura. El caballero grueso de la izquierda es uno de los big shots del leonismo insular, lo conoce, ¿no? Los que trabajamos en esta clase de empresa nos sentimos obligados a participar en estas hermosas y humanitarias campañas. ¿Sabe cuántos niños mueren de gastroenteritis anualmente?

—No tengo la menor idea, Clarence.

—Las estadísticas pueden ser engañosas; así no llegaremos a ningún sitio. Como miembros de una empresa moderna debemos asumir ciertas responsabilidades cívicas. Estamos a más de la mitad del siglo veinte, amigo, cuando ya el hombre se dispone a llegar a la luna.

Germán volvió a deslizar la vista sobre el rostro petulante de Franklin; notó que tenía la nariz porosa y roja en la punta, y se preguntó si acaso sería el producto de nutridas dosis de alcohol de maíz. Un dedo blanco cayó en la foto del escritorio.

—Fíjese en el entusiasmo de la gente. Beverly estaba detrás del león, ese hombro desnudo es suyo. Conversaba con alguien, por eso se perdió tan importante fotografía. Poco después sirvieron una cena criolla, una idea maravillosa del comité organizador. Lechón, arroz, y una cosa oscura envuelta en hojas de plátano, ¿cómo se llama?

—No tengo ni idea.

—El león me dijo al oído: "Nosotros sabemos cómo agasajar a nuestros conciudadanos", y señalaba el lechón asado en un patio de tierra verdadera, entre casitas de hojas de palma. Todo con un colorido fabuloso. Sinceramente me hubiera gustado invitarlo, míster Ramos; me cae terriblemente simpático y creo que sabe muchas cosas de su isla, que conoce bien a su gente. Pero no había venido los últimos días a la oficina y temí que estuviera enfermo. No pude pasar a verlo, usted sabe todos los compromisos que uno tiene.

—Estuve trabajando. Ahí tiene el informe.

—Bien. Después hubo baile. Tocó una orquesta con un ritmo fantástico. Beverly y yo trotamos hasta que nos dolían los pies. Nos rodearon llevando el ritmo con palmadas, y bailábamos cada vez más de prisa. Entonces exigimos que el león bailara con su esposa, pero rugió —Clarence rió echando hacia atrás la cabeza—. Rugió, se puso a rugir como un verdadero león negándose a bailar el rock por razones que todos comprendimos en seguida. Lo habrá visto en los periódicos. Es redondo. Le dije: "Señor Rey de la Selva, las golosinas nativas tienen muchas calorías". Todos rieron. Al fin nos complació con un bolero. Le tomé cuatro fotos desde los cuatro costados, que es como si fuera uno, ¿comprende?

—Veo.

—Una noche fascinante. Beverly tenía la cara roja de gusto. Los amigos nos acompañaron en sus automóviles hasta casa, hicieron que entráramos y apagáramos las luces, y empezaron a cantarnos canciones con latas y botellas. No sé qué pensarían los Turner, pero según Beverly se estarían muriendo de envidia. Cantaban "esta casa tiene las puertas de acero, el que vive dentro es un caballero". Así es, ¿no? Me dijeron que es una canción navideña que emplean al final de toda juerga, aunque sea verano. Gracioso, ¿verdad?

—Graciosísimo.

—Por la tarde Beverly pudo confirmar sus sospechas. Salió al patio a descolgar la hamaca, porque iba a llover, y vio que Annie Turner estaba regando sus matas. Beverly se le acercó y le dijo: "¿Para qué riegas tus rosas y geranios, Annie Turner, si va a llover pronto". Annie Turner no dijo una sola palabra, le volvió la espalda y entró en su casa muy derecha. Como me dijo Beverly muy perspicazmente, ahora Annie Turner, con su gracioso acento sureño obligará al coronel Turner a que invite amigos del país a su casa. "Pero querida", le respondí, "recuerda que su trabajo es distinto al mío, que sus relaciones con la vida civil no son las mismas mías". Beverly me miró pícaramente. "Oh, traerá soldados", me respondió con esa ironía característica de su padre, "a Annie Turner no le molestan los uniformes, ciertamente". Es certera, ¿sabe? Observadora. ¡Pobre coronel Turner, con su engolada voz de barítono y su gallardete de West Point! Porque tiene la insignia de su alma mater en todo sitio: en los cristales de su Lincoln, en la puerta de la casa, y no deja de mencionar nunca su escuela. Al principio, a Beverly los Turner le caían como plomo, realmente no podía soportarlos. Beverly veía cuando todas las mañanas venía un auto del ejército manejado por un cabo y esperaba a la puerta. El coronel Turner bajaba las escaleras marcando el paso, golpeándose la pierna con una fusta de cuero negro, esperaba que el cabo le abriera la puerta, se acomodaba en el asiento de atrás muy serio y se volvía hacia

Annie Turner con delantal en el balcón para tirarle un beso. Annie Turner le sonreía melosa y le contestaba el beso y lo estaba despidiendo con la mano hasta después que el Oldsmobile había desaparecido. ¡Eso, precisamente eso, era lo que ponía furiosa a Beverly! Sobre todo los martes. Porque todos los martes a las diez de la mañana, con lluvia o trueno, Annie Turner saca su Mustang convertible y parte como una exhalación. Regresa por la tarde toda despeinada y deshecha, guarda el Mustang en el garaje rápidamente, entra por la puerta trasera y se encierra. Esa tarde no riega sus matas y Beverly dice con su habitual ironía que de Annie Turner repetir su aventura todos los días terminaría por echar a perder los jazmines y geranios y hasta las orquídeas que cuida con tanto esmero.

—Clarence —dijo Germán.

—¿Qué dirán la semana próxima, cuando empiece la campaña sobre el terreno? Irán fotógrafos y periodistas. Está programado que yo me pare en una esquina con un grupo de damas, llevando alcancías para recabar la ayuda económica del público. Llevaremos distintivos, claro, y es posible que un grupo musical abra el acto. Hay que empezar con impacto, es una campaña de publicidad como cualquiera otra, los niños de este país lo merecen.

—Le traje el informe —Germán golpeó con la mano abierta los pliegos.

—Bien, muy bien —hojeó los papeles y los guardó en la gaveta—, lo estudiaré más tarde, no corre prisa. ¿Vio a nuestro futuro empleado?

—Veo que va a despedir a González.

—No es necesario —de la gaveta sacó una cuartilla escrita a máquina—. Mire eso.

Germán leyó con rapidez, decepcionado, las pocas líneas. La carta estaba redactada con cuidado, aunque sobresalían algunos términos grandilocuentes. Razones "morales y cristianas" lo obligaban a renunciar a la Ohio, compañía a la que había dado muchos años de su vida. Mencionaba el caso de la familia Hernández, cuyo jefe había quedado ciego en un accidente sin que la Ohio procediera a cumplir lo estipulado en la póliza. De paso, hacía mención de la injusticia cometida en la persona de Roque. Su firma era clara, regular, dibujada con extraña cautela.

—Trató de organizar a los empleados en un gremio pero ya ve que no tuvo éxito. Entonces renunció. Inmediatamente llamé al aspirante. ¿No le parece bien?

Germán guardó silencio. Franklin pestañeó dos veces; la pared se movía sobre sí misma, girando con lentitud como tierra movediza. Cerró los ojos y se los presionó con los dedos.

—Cumplí mi palabra —añadió Clarence—, no lo llamé hasta que González renunció. Seguí su consejo. Ahora le toca adiestrar a ese hombre.

Germán alzó la cara y lo miró borrosamente.

—¿Adiestrarlo?

—Fue lo acordado ¿no? Ponerlo al tanto. Instruirlo sobre la psicología del puertorriqueño, etc.

—¿Cuándo empieza?

—El lunes.

Germán se contempló las manos; venas violetas, vellos rubios y blancos.

—De acuerdo.

Clarence empezó a sobarse las manos.

—Magnífico, magnífico.

—Será mi último trabajo para la empresa. Pienso jubilarme.

Clarence lo escrutó. Germán tuvo la impresión de que reía interiormente, pero lo sorprendió la voz seria y en tono bajo, tocada de cierta preocupación.

—¿A jubilarse, usted?

—Motivos de salud podría ser la razón —dijo amargamente.

—Oh, puede desempeñarse bien. Lo ha demostrado.

—El médico decidirá.

—No le sucedió nada grave.

—Hay otras cosas. Lo honorable sería renunciar.

—¡Honorable! Bueno, pero al menos trate bien a ese hombre. ¿Por qué honorable?

—No quiero seguir con la compañía.

—Oh. Explíquese.

—Está todo en el informe.

Clarence se entregó a pasear de un lado a otro, hundidas las manos en los bolsillos. Ese día no fumaba; el cenicero de cromio en cuyo centro un pelícano abría el pico, estaba limpio; en la semana un médico había hablado sobre las posibles causas del cáncer. Dijo:

—Quisiera que pudiera verse la cara que ha puesto, míster Ramos. ¿Tiene quejas de la compañía? El joven está dispuesto a hacer buen trabajo. De todos modos hay un período de prueba; si no da resultado ya nos encargaremos de buscar otro. Pero con su ayuda saldrá adelante.

—En una nota en la última página hago mención del rumbo que parece haber tomado la compañía.

—¿Rumbo, qué rumbo?

—De lo que se me ha ocultado.

—¿Qué quiere decir?

—El hombre que quedó ciego.

Clarence apoyó la barbilla en la mano, hundió el codo

en la palma de la otra mano; su cuerpo formaba un signo de interrogación.

—¿Qué más? ¿Piensa como González?

—Exactamente.

—¿No lo sabía?

—Nadie se ocupó de informármelo.

—Una tempestad en un vaso de agua —se subió de hombros, ladeó la cabeza, alisó su corbata—. No teníamos por qué correr la voz. Compete al departamento legal exclusivamente. Cada uno en su puesto, con su responsabilidad. Vine a restructurar la compañía, que andaba francamente mal. Miller tenía buenas intenciones y trabajaba hasta reventarse, pero vivimos otros tiempos. Los accionistas lo mandaron a Venezuela para que levantara una sucursal que necesita de su empuje, pero puede estar seguro de que tan pronto la sucursal se afirme sobre sus pies se le enviará a otro sitio. Son las reglas.

—Fue un accidente. Está claro en la póliza.

—¿Cómo? ¿Qué está claro?

—Debieron pagarle compensación. Es lo justo, lo normal, lo que se hace siempre.

—¿Justo? ¿Normal?

—No me diga que no entiende.

—Oh, sí, mejor de lo que usted piensa. Justo y normal. Los abogados vieron el caso desde un punto de vista estrictamente legal, como es lógico, partiendo del contrato y de los hechos. Probaron que fue un descuido necio; no podemos responder por la necedad.

—No fue necedad. Estalló un tanque de acetileno. Es, era soldador.

—Unos compañeros lo apoyaron en su declaración. Pero, ¿quién logró demostrar que decía la verdad? ¿El o nuestros abogados?

—Es casi un analfabeto. No supo defenderse. Los abogados torcieron los hechos. Soy viejo en este negocio. He visto casos de accidentes por montones, y siempre la compañía procedió honorablemente, sin acudir a tramoyas ni subterfugios. González es un agente de experiencia que no se hubiera dejado conmover fácilmente, y ante la inmoralidad se sintió asqueado.

Clarence palideció.

—Está yendo muy lejos.

—Pero usted se lava las manos. No tiene culpa de nada, simplemente restructuró la empresa. Como dijo, cada uno en su departamento con su especialidad y su responsabilidad. Usted suma, resta y traza los planes. No necesita para nada ver una cara ajena, ni siquiera las de los clientes. Pero millares de desconocidos derraman plata de sus bolsillos semanalmente. Usted hace cómputos, balances, memorandos, manda informes periódicos a los accionistas en Nueva York y en paz con su conciencia. ¿Saben ellos que un hombre quedó ciego en un rincón que ni siquiera pueden imaginar? Pero el dinero de ese desconocido sin importancia venía a la compañía todas las semanas durante diez años a engordarles las cuentas bancarias.

—¿Cómo un profesional del negocio de seguros se puede expresar de esa forma?

—Luego, basta que unos abogados expertos tramen una estrategia con corrección impecable, se saca de en medio un hombre como si fuera un despojo, y que la máquina siga funcionando a perfección. En mis largos años de trabajo nunca había tenido esta experiencia.

Con las manos escondidas en los bolsillos, pálido, Clarence miraba atentamente el diploma de Princeton. Probablemente no pensaba siquiera en ese pergamino con frases en latín.

—La habrá tenido —respondió al cabo, sin volverse—, pero quizá no quiera recordarla.

Germán temió pensar que alguna vez se hubiera hecho de la vista larga ante procedimiento semejante. Cierta vez, una mujer, en una silla de ruedas, implorando... Pero él era joven entonces, no había vivido suficiente. Otra vez, a raíz de la enfermedad de Celia... La voz de Clarence lo liberó de un pasado que lo amenazaba.

—Usted es hombre de buenos sentimientos. Lo conmueve la desgracia de su semejante. Estupendo. Muy cristiano. Pero soy un profesional. Tengo compromisos que cumplir con mis superiores. Obedezco órdenes sin desviarme un centímetro de la línea del deber. Me mandaron aquí para realizar X tipo de trabajo. Sería inmoral, como usted dice, el incumplimiento de las obligaciones que se me han encomendado. No improviso, no tengo esa costumbre un tanto anárquica; sigo una línea de trabajo profundamente analizada, estructurada según los últimos hallazgos en técnicas administrativas, marketing, publicidad, finanzas, relaciones públicas. Psicólogos, sociólogos, jurisconsultos, trabajadores sociales y economistas han estudiado rigurosamente, desde sus respectivas disciplinas, las nuevas realidades que una institución de esta clase debe afrontar en una sociedad abierta que evoluciona constantemente.

—Nada de eso justifica la injusticia y la estafa. ¿Quién es culpable? Nadie puede ser culpado dentro del nuevo sistema sino la víctima.

—Y, de todos modos —Clarence sacó un encendedor y buscó cigarrillos inútilmente en su chaqueta—, ¿está aquí para fiscalizar a la compañía? No se imagine que ha sido un caso fácil. Nunca faltan agitadores. González trató de organizar un gremio. Fracasó. Pero seguramente lo intentará en otro sitio y tratará de que la llama prenda aquí con más fuerza. Hay la posibilidad de que un periodista amarillo ponga el grito en el cielo, alejando clientes potenciales. Nosotros nos limitaremos a recordarles la decisión judicial. Nos limitaremos a eso, sin argumentar una palabra. Lo que más me preocupa es su actitud, míster Ramos. A pesar de todo, lo espero el lunes, puesto que todavía tiene obligaciones con nosotros. Supongo que mientras las cumple irá haciendo los trámites de jubilación. Si se arrepiente siga con nosotros. Si no, yo no pondré trabas y haré lo que esté a mi alcance para que todo le resulte lo más fácil posible. En ambos casos estaré de su lado.

Germán se volvía para salir cuando Clarence añadió:

—Las diferencias entre nuestros puntos de vista son perfectamente legítimas, ya que pertenecemos a generaciones distintas.

Germán lo miró penetrantemente a la cara, pensando que las diferencias generacionales no justificaban el fraude, pero cierta vez, una cliente suya, en una silla de ruedas... Calló, porque de haber dicho lo que pensaba sus palabras apenas hubieran rozado un aparato al que había alimentado muchos años con su trabajo y quizá con cierta dosis de inescrupulosidad, una maquinaria minuciosamente aceitada que continuaría funcionando con la mayor perfección.

Con el portafolios colgado de su mano, más pesado que nunca por su repentina inutilidad, Germán marchaba de regreso por la calle Fortaleza. Toda una vida, pensó, toda una vida. Columbró los autobuses aglomerándose como manada de paquidermos, y el gentío bajo el sol. Dos hileras de autos se aletargaban a paso de tortuga; del asfalto se desplazaban temblorosos fantasmas de vapor. Se vio indeliberadamente en el cristal de un escaparate, flotando vagamente sobre el despliegue de electrodomésticos, pálido y envejecido. Te estallará el corazón; mañana, pasado, te reventará y acabarás de una vez.

Entró en una cabina telefónica y marcó un número.

—¿Diga? —respondió una voz femenina.

—¿Está el doctor?

—Sí. ¿Qué desea?

—Hablarle.

—Está ocupado. Dígame qué quiere.

—Cita para mañana.

—¿Mañana sábado? Lo siento, no hay turno.

—Ponga al doctor.

—Está ocupado, señor ¿no oyó lo que le dije?

—Sólo un minuto. Dígale que es Germán.

Hubo un silencio. Luego la voz dijo:

—Ah, ¿cómo está?

—Bien. Es cosa de un minuto.

—¿Está tomando sus medicinas?

—Claro. Gracias.

—Un momento.

A través del hilo le llegaban voces y el sonido de una puerta al abrirse. El aparato emitió un eructo mecánico en su oído, un ruido eléctrico y quebradizo y delgado.

—¿Qué hay? —dijo la voz de Meléndez—. ¿Está grave? ¿Pasa algo?

—Quiero una cita para mañana.

—¿Qué? ¿Cómo dice?

—Quiero una cita para ma-ña-na.

—¿Qué le pasa? ¿Mañana? ¡Qué ocurrencia, mi amigo! ¿Por qué no la solicitó antes? Ahora estoy lleno.

—¿Puedo ir o no?

—¿Está grave? Faltó la última vez. ¿Cómo se siente?

—Bien.

—Qué ocurrencia. Me dio un susto. Venga, le haré hueco de todos modos.

—Gracias.

Cuando colgó el auricular, la palabra jubilación se encendió y se apagó en su cerebro.

SE DEDICÓ A ojear los escaparates en la acera de la sombra. A una semana para la velada, debía adquirir una corbata, un traje gris oscuro, y unos cómodos Freeman para sus maltratados pies. Pero aplazó la elección para cuando no lo abrumara el cansancio de hoy, de los últimos días, de la semana última.

Ante el escaparate de una joyería sufrió un ligero malestar. Pero ese malestar, experimentado otras veces, se convirtió en furia al notar que los relojes marcaban horas distintas, sumiéndolo en inexpresable desconcierto. Descansó la frente en el vidrio de temperatura humana y maldijo: las dos y media, las cuatro menos trece, las siete y veinte; la mañana, la tarde, la noche y la madrugada se fundían en esa maraña rotativa. Hubiera agarrado cada aparato para corregir implacablemente la anárquica escapada del tiempo, pero las manecillas seguirían girando como mil rayos de ruedas de bicicletas, semejando en su conjunto el pedaleo de un coleóptero. Relojes pequeños, medianos, grandes, cuadrados, circulares, oblongos, para caballeros, damas y niños gritaban sus contradicciones temporales en un coro desarticulado y silencioso.

Germán hubiera dado voces para liberar su garganta del nudo de horas y minutos, pero en cambio entró rápidamente en la tienda.

Adquirió un pequeño despertador barato y un reloj pulsera, nada caro, sin considerar marca ni lugar de fabricación. El dependiente de pelo engominado mariposeaba a su alrededor ofreciéndole otras prendas.

—No, no —rechazaba Germán mientras le daba cuerda a los aparatos—. ¿Puede decirme la hora? Ninguno está bien.

—Cinco y veinte.

Se apresuró a ponerlos en hora con minuciosa exactitud. Entonces la sangre le empezó a fluir en un ritmo cómodo y normal. Se esfumaba una misteriosa valla ante sus pies, y reanudó camino libremente, centrado en sí mismo, en pleno equilibrio con el día, con el sol que aún amortiguaba a ciertos pétalos, a determinadas corolas taciturnas.

Como el despertador era pequeño, lo introdujo en el bolsillo superior de la chaqueta. Se detuvo para asegurarse de que el tic tac martilleaba levemente un ritmo lógico sobre su corazón; ajustó en seguida el reloj pulsera en su muñeca y lo examinó estirando el brazo. No pudo evitar la sonrisa, embargado por una pueril alegría.

En el comedor, Carmen se entregaba a las tareas de todos los viernes, fregando el piso, estregando un paño aceitoso en los bancos, disponiendo albahaca y yerbabuena en los floreros. A Germán le pareció que hacía largos días que no la veía, que las confesiones de esa mañana —no quería recordarlas— fueron efectuadas hacía mucho tiempo.

—Veo que tenemos reloj nuevo —dijo Carmen.

—Relojes —le mostró el despertador—. No es de pared, pero no importa.

Germán se sentó eludiendo el Corazón de Jesús. Carmen desapareció y reapareció a poco, trayendo una bandeja con la comida. Germán comió con apetito desacostumbrado, rápidamente y sin alzar la vista. Detrás suyo, la casera ejecutaba invisibles quehaceres.

—¿No iba a comprar un paisajito? —dijo—. Si quiere una imagen religiosa no tiene más que avisarme.

—Ya le dije que me deprimen. Demasiado sufrimiento, demasiado martirio. Me fumaría un cigarrillo.

—Eso le haría daño. ¿Cómo está? ¿Cómo se siente?

—¿Espera que vuelvan las confesiones? Le hice perder mucho tiempo.

—No se arrepienta, por amor de Dios. Bien que le hizo. Lo espero esta noche. ¿Sí o no?

Germán sonrió desarmado ante la firmeza con que Carmen, de pie junto a él, exigía una respuesta.

—En el fondo —respondió lentamente—, nada me interesa demasiado. No es mi culpa. ¿O sí? No sé. Es espantoso que las cosas nos dejen de interesar ¿no le parece?

—No sé qué decirle —Carmen dio media vuelta y salió.

Germán subió a su cuarto y colocó el despertador en el tocador de modo que pudiera verlo desde la cama, en ángulo que pensó exacto. Luego encendió el radio y esperó en tensión hasta que empezó a filtrarse una melíflua corriente musical, un río de violines surcado por una flauta que remataba las frases con un caprichoso arabesco; los bajos hacían palpitar la bocina destempladamente, aislados de la catarata de rasgueos de arpa; un áspero saxofón tenor graznó un tema de jazz; la orquesta se detuvo jadeando mientras las escobillas rascaban el cuero tenso, abriendo una pausa cargada de expectaciones rítmicas cuyo extremo fue definido por el golpe exacto del timbal; de inmediato se desencadenó un múltiple estampido de batería que preparó, no sin incongruencia, la irrupción en pleno de la orquesta, el llanto de las cuerdas donde la flauta volvió a coletear alegremente. Germán sonrió y sacudió la cabeza, luego se sentó en la cama meticulosamente vestida y se dejó deslizar hacia atrás. Como le dolían los músculos a cada movimiento, se quedó inmóvil contemplando por la ventana el cielo dorado, de alguna manera acorde con la melodía. Entre las cumbreras, los árboles aparecían bañados de un verde pálido y fosforescente; las golondrinas continuaban atravesando el cielo, próximas a lanzarse a sus nichos para dejarles espacio a los murciélagos de vuelo atolondrado, a los escarabajos, a la multitud de insectos que iniciaban el afinamiento de sus voces. No había comprado una estampa de adorno, pero podía al menos gozar de ese cromio excesivamente dulzón, semejante a un óleo acabado de colgar de la pared.

Germán se levantó, quedó un instante observando la marcha de las agujas del despertador, confrontándolas con las de su reloj pulsera, y se asomó a la ventana.

Había imaginado el estremecido mural de la hora. Sobre el nivel del mar, más allá de las arboladuras de los cargueros, la atmósfera se consumía en un gran incendio. Crepúsculo, dijo escalofriado. Las cimas se disputaban reflejos cobrizos mientras se ensombrecían sensiblemente sus faldas; amarilleaba el plano inclinado de una ladera vacía; iban emergiendo gradaciones de colores, se manifestaban plenamente, en toda su pureza ecuatorial, y se esfumaban seguidos de tonos espectrales en un ciclo minucioso.

Sobre la línea del océano el cielo palideció en rosa, luego se hizo gris profundo y negro. El rojo se escapó de las cumbres, el amarillo de la ladera se anaranjó y se convirtió en alfombra retinta. Las nubes, bajas y densas, mostraban aún la pugna de los colores, de los tonos, de los matices, golpeadas de pronto por un violeta absurdo, perforadas por el fogonazo de un rojo absoluto. Pero ya se vaciaban, mostraban sus superficies frías e inexpresivas. Se encendía en toda la ciudad el alumbrado público. Custodiado por una vegetación enmarañada, el caño inauguró una consistencia de alquitrán. En algún punto, un coquí empezó a lanzar su canto metálico y bitonal.

Germán sintió un cosquilleo en el dorso de la mano. La acercó a sus ojos y contempló la hormiga abriéndose paso en la selva rojiza de sus vellos (a distancia de las persistentes agujas del reloj), una bestia en la tierra enrojecida y llena de ríos subterráneos, de la que emergían árboles rubios y nevados; la hormiga se detuvo con una pata vacilando sobre un cráter. Germán sopló suavemente; los árboles se inclinaron bajo el azote del huracán; la hormiga clavó las pezuñas ferozmente en tierra, la cabezota rozando el suelo húmedo cuyo planetario brillo empezaba a ensombrecerse. Apenas la veía, pero se movían aún las patas. Está viva, pensó, está tremendamente viva. Entonces le llegó la primera vaharada de incienso. Escuchó voces, breves palabras de saludo en la planta baja. Germán mantenía la mano en posición horizontal, como temeroso de que la minúscula vida se despeñara. Las agujas de sus relojes desmenuzaban el tiempo.

—Y ahora esa mujer quemando incienso. Diles que lo apaguen, Germán, y que no hagan tanto ruido.

—No tenemos derecho a impedírselo —respondió él—. Mira lo que te traje.

Celia alzó la cabeza.

—¿Qué? ¿Qué me trajiste?

—Una revista de modas y una novela. ¿Te gustan?

—Sí, sí, gracias.

—La revista está en francés.

—Ya no entiendo ni una palabra, figúrate.

—¿No te parece que tiene unas modas extrañas?

—No hace nada más que repetir modas de hace treinta años. ¿No te molesta el incienso? Diles que lo apaguen, me hace pensar cosas terribles.

La hormiga se desprendió. Carmen colocó la mano sobre el libro en rústica, un tomito con un Corazón de Jesús en la portada, manchado por el manoseo de años. *Oraciones*. A través de ese contacto percibía una corriente secreta, un flujo luminoso, una palpitante concentración de energía: sustancia chispeante que penetraba sus huesos encendiéndola en burbujeantes escalofríos.

Ejerciendo dominio sobre su cuerpo exaltado, Carmen iniciaba el preámbulo.

—¿No vino la hermana Angélica?

—No pudo. Está tumbada con catarro.

Carmen sonrió al hombre de grandes muñecas.

—Creemos que la materia puede resistir cualquier embate, pero nos equivocamos.

Hombres y mujeres gastados asentían uniformados por una mansedumbre animal. Carmen los contemplaba serenamente, dueña de su apostolado. Abrió el libro.

—Empecemos.

Un chisporroteo inquietante empezó a manar de sus palabras, de su voz atormentada por incesantes efluvios exprimidos a los muertos, y se insertaba fulgurando en los nervios: aflojaba espinazos de hierro, sellaba ojos, hacía llover palabras siseantes en las orejas cuarteadas de sol, inauguraba remotos encuentros bajo la piel. El aire bullía de misteriosas presencias que giraban en vertiginosa danza eligiendo el barro más dúctil, posesionándose de huesos y sangre, del pasaporte que conduce de un sistema a otro. Podían explayar sus contenciones en una sílaba intensa, temerosas de salir bruscamente de la frecuencia asignada, desempolvando al sol de los vivos querellas rumiantes interminables años junto a una lápida sin nombre, exigiendo el inmediato restablecimiento de un legendario mandato sobre los hombres.

Una afluencia opaca, espíritu negativo, sobrecogió el barro amenazado con largos rugidos, minando la atmósfera hasta lo irrespirable, poblándola de ruidos de puñetazos y coces y maldiciones en una turbulenta dramatización de una riña callejera; de esa manifestación inevitable y siempre temida la materia salió atormentada, tensa en un encrespado regusto de violencia.

De improviso entró aleteando un suspiro, un ser tímido y balbuceante, secuestrado por un receptor ansioso, atraído irresistiblemente por los rastreadores imanes de una materia facultada; salió del cuadrante con aturdida precipitación, dejando un lastimoso rastro, cierta sensación de inocencia violada, un tufo a desamparo entre osamentas y persistentes gotas de lluvia.

Hubo recepciones cargadas de relámpagos, llenas de rumores gorgoteantes. Voces desposeídas de timbre, como esqueletos de sonidos, formaban un hormigueo ininteligible; eran estructuras mínimas que siglos atrás perdieron por indolencia o pereza o extraña soberbia un vehículo para el retorno momentáneo, que veían transcurrir el tiempo asomadas a los balcones de ultratumba, esperando como solteronas una señal, una llamada amable, un príncipe material; esas voces, momificadas por tan larga inactividad, antiquísimas y fabulosas, pero inaprehensibles, habían perdido toda efectividad, toda potencia comunicativa, y languidecían en su espera inútil hasta que el tiempo lograba diseminarlas en fragmentos cada día más dispersos, en átomos irrecuperables; resultaba lastimoso ese asomo pálido y final: ni siquiera podía asignárseles una categoría precisa, una determinada jerarquía entre las extraterrenas multitudes acezantes que ríen, suplican o imprecan groseramente en todos los rincones del planeta.

Hubo una sorpresa conmovedora y necesaria, anunciada por una distensión nerviosa: un espíritu positivo, ángel de paz, desprendimiento celestial, deslumbrante concentración de luz; la materia acogía alborozada, tuteándola, esa presencia redonda y familiar que poseía la facultad de rellenar las oquedades interiores con una alegría caliente y rutilante, desbordada del pellejo; llegaba con su vieja encomienda de hacer el bien, venía llena de consejos y esperanzas para el cieno más atribulado: luchar, trabajar pacientemente, seguir tirando sin desmayo; su verbo sencillo y sereno germinaba entre pausas vegetales, olorosas a menta y yerbabuena, lamiendo con profunda compasión el barro trabajado, refrescando, como menuda lluvia de estío, parcelas agrietadas donde ya el polvo había establecido su atroz vigilancia; el propio oxígeno se despejaba de formaciones de mala fe; los espíritus más arrojados retrocedían en legión desorganizada, disminuidos por la grandeza de la luz; se podía respirar sin temor a contaminarse con especies malignas; la materia hacía estallar las cadenas de culpas desconocidas, se liberaba precipitadamente, y Germán, transpirando, la respiración alterada, se había dejado atrapar en el embrujo del monólogo de una Carmen desconocida, absolutamente poseída por la alucinante presencia; sintió que ciertas durezas se derretían destilando miel, y se palpó asombrado para verificar que no había sido despojado de su corporeidad (como si parte de su ser se hubiese desplazado, ampliado y fundido en una sola unidad con ese espíritu admirable por lo bondadoso). Y ese palparse esmerado, ese pellizco final atrajeron violentamente a sí la parte escapada veleidosamente. Le pareció que el anillo había encajado perfectamente en el dedo.

Germán subió las escaleras y advirtió la puerta abierta y el radio encendido.

En la ventana asomaba una noche clara, poblada de cumbreras pálidas, de fantasmas de árboles cociéndose en el bochorno, jalonada de bombillas eléctricas. Mañana estarás bien, tendrás la cabeza clara, podrás pensar, explicártelo.

Cerró la puerta y apagó el radio; tomó el despertador, lo apretó contra su pecho y se tendió en la cama sin desvestirse.

Rosa se alejaba bordeando un río, apoyando cuidadosamente sobre los cantos rodados las sandalias cuajadas de nomeolvides. Un hombre surgió a contraluz en un gran portal inundado de claridad mañanera, avanzó por la nave de una catedral; era él mismo, de treinta y cuatro años, vestido con meticulosa elegancia; lo miraba a la cara, apoyando la mano ensortijada sobre un naipe. "Apueste", ordenó una voz. Volvió la carta, pero ésta no tenía un signo ordinario, sino la cara sonriente de Celia. El retrato se metamorfoseó en un ave que batió sus alas espléndidas, de fulgurante colorido. "Imposible apostar", respondió mientras el ave desaparecía en la luz exterior; su propia voz le sonó desconocida entre las flores podridas de la sacristía, entre el olor de los cirios y del incienso frío. Miró hacia el altar, la campanilla temblando en su mano; recargado de ornamentos clericales, Clarence se dirigía amablemente a los fieles. Un hombre de gruesos espejuelos de concha se incorporó levantando una mano; advirtió que se trataba de Meléndez.

CARMEN ENTONABA UNA canción inidentificable, y en el cuarto vecino el bebé lanzó un berrido. Tronaban los motores en la avenida; en la calzada, los chillidos de los chicos estremecían el aire. Desde esa hora sonaba el gramófono del cafetín; o desde antes, porque a Germán le pareció que entre sueños lo había sentido vibrar.

Mientras se acicalaba se sintió contento; el dolor en los músculos se había mitigado, y estaba alerta, despejado. El radio dio las nueve de la mañana y desencadenó una larga rehatila de anuncios.

Germán atisbó distraídamente por la ventana: techos húmedos, árboles de un verde fresco y brillante; la luz destellaba en los charcos de los tejados. Vas a llegar tarde y Meléndez empezará la entrevista con un regaño. Observó la marcha regular de sus relojes y bajó las escaleras. ¿Qué tendrá que decirme Carmen después de lo de anoche?

Mientras desayunaba, notó la desconfiada mirada de la casera.

—¿Por qué me mira así?

—¿Cómo lo estoy mirando?

—No parece muy contenta.

Carmen secaba minuciosamente un plato.

—Anoche vino a la sesión —dijo.

—Me invitó, ¿no? No tiene que mirarme así, me va a hacer daño el desayuno.

—La puerta siempre está abierta, no se necesita invitación. ¿Fue a burlarse?

—Siempre piensa lo peor de mí. No fui a burlarme.

—Lo sé. Algo lo llevó. Aunque le pregunto si fue a burlarse, sé que no. Un espíritu positivo se manifestó en usted. Creo que tiene facultades, Germán. ¿Por qué se fue tan temprano.

—Adivínelo —se puso de pie—. Tengo un compromiso.

Carmen recogió el plato y lo lavó en un balde de agua.

Si se lo digo a Meléndez, pensó Germán avanzando por la calzada, se arrastra de la risa: escapismos, histeria, sugestión, superchería.

Sus pulmones se expandieron plácidamente con el aroma fresco y picante y mineral que surgía de la tierra. Las casas, las plantas, el asfalto, los árboles, el cielo lustrosos, con cualidad de acuarela, le infundían inusitado ánimo.

COMO ERA SÁBADO, la multitud parecía obligada a lanzarse a las tiendas —ya atestadas—, estimulada por millares de anuncios radiales, televisados, periodísticos, voceados, fijados en incontables afiches. Hombres y mujeres arrastrando niños se aglomeraban ante los escaparates en busca de baratillos. Amontonaban mesitas, bombillas, flores de plástico, aparatos mecánicos, estatuillas de loza, detergentes anunciados con medio centavo de rebaja. Los incansables consumidores buscaban la manera de complicar sus cuentas adquiriendo un nuevo, enorme frigorífico, un televisor supernumerario, un fastuoso estereofónico para aturdirse con unos pocos discos chillones. Regalos para el cumpleaños de la prima, de la vecina, de la conocida de ayer. Botellas de whisky para la fiesta del sábado, entremeses, golosinas porque los Rivera siempre se aparecen con los niños, una nueva receta complicada y costosa para hacer reventar de envidia a los Hernández, y bicarbonato para la mañana del lunes.

Por la ventanilla del taxi, Germán contemplaba el gentío en afanoso movimiento de hormiguero, en la espléndida mañana que anunciaba una tarde calurosa.

El taxi quedó apresado en un embotellamiento descomunal. El taxista se quitó la gorra y se puso a rascarse la cabeza. El sudor le empapaba el cuello flaco y renegrido. Dijo:

—Falta que haya tapones hasta por la madrugada —aplicó la palanca del cambio; el auto arrancó en un ligero trote—. ¿No le parece, míster? Este trabajo se está poniendo cada día peor. Y hay que bregar con toda clase de gente. Unos buenos, otros regulares, otros que son el demonio.

—Así es —Germán contemplaba el desfile en las aceras, las mujeres con los brazos cargados de paquetes; un loco daba saltos ante un comercio, rodeado de curiosos; en la esquina, un ciego, con su bastón y un letrerito en el pecho, alargaba la mano.

—Se monta un tipo, dice llévame a tal sitio, le encañona un trabuco en la nuca y le lleva todo el dinero del día. Después piensan que uno mismo se ha asaltado para quedarse con la plata. Y no es fácil agarrar al asaltante, como son tantos. Es la mafia, como lo oye, la mafia que controla el juego y la prostitución y la droga. Nadie se salva hoy, ricos, pobres, blancos y negros. Si usted viera. Una muchacha me pidió que la llevara al Viejo San Juan, yo cómo no, la llevé, y cuando le fui a cobrar estaba tirada en el asiento asfixiada. Sobredosis, lo supe en seguida. Tuve que declarar ante el juez, porque se murió. Ya le digo, es mejor morirse. Pobres y ricos. El que entre ahí muy difícil sale. Hasta cien pesos diarios tienen que pagar por la droga, cada vez necesitan más. Por eso los asaltos y robos. Total, a los peces gordos no les hacen nada. No sé lo que está pasando en este país. Muchos de esos extranjeros que entran aquí como Pedro por su casa, pejes gordos, ¿sabe?

En el retrovisor, Germán miró con curiosidad los ojos oscuros y pequeños, perdidos en espesas pestañas, que contemplaban con impaciencia el semáforo. Por un instante se preguntó si su familia estaría debidamente asegurada. Robos, accidentes, muerte. Cuatro, seis pequeñines desamparados. Mejor no pensar en ello. Dijo:

—Inmigración debería ser más estricta. Pero ya ve, no podemos hacer nada.

—Los americanos saben lo que hacen.

Meléndez apareció brevemente, y se esfumó. El taxi entró en una calle lateral evadiendo el embotellamiento y avanzó entre dos columnas de autos estacionados sobre las aceras.

—Todos los países administran sus propias cosas —dijo Germán con calma—. Aduanas, Inmigración, en fin...

La cara afilada, cubierta por una barba de dos días, se asomó casi plena en el espejito.

—Es verdad —respondió—. Son repúblicas, ¿no? Por eso tienen líos.

—Estados Unidos es una república.

El chofer lo miró con desconfianza. Luego dijo:

—Si hay líos allá, ya usted sabe quiénes son los culpables.

—¿Quiénes? —preguntó distraído Germán.

—Los negros y los puertorriqueños —contestó el chofer con voz chata y empecinada—. Ensucian las calles, pelean, alborotan. Mire, yo estuve allí, sé lo que le digo. Las calles llenas de latas de cerveza.

Germán empezó a interesarse. Mientras los autos hacían trompetear las bocinas, dijo:

—¿No será que hay discrimen?

—La ley es igual para todos. Está escrita. Pero no la obedecen y traen a la policía loca. Ellos tienen la culpa. Nosotros tenemos la culpa.

—Sí. En el fondo tiene razón. Bueno, menos mal que empiezan a caminar los carros. Tapones a toda hora.

—Empeñados en hablar español, como si estuvieran aquí. No cooperan con las autoridades.

—No, todos tenemos alguna culpa, pero en otro sentido. Quiero decir: por haber permitido que el país haya llegado a este estado de cosas sin haber resuelto nada fundamental. Los boricuas tienen que largarse de este país a ser pateados en otros sitios, mientras Inmigración le abre las puertas a toda esa gente indeseable. Usted mismo lo dijo. Pejes gordos. El resultado es que San Juan se ha convertido en lo que era antes La Habana. Hay mucha gente decente entre los extranjeros, pero vienen a quitarles el trabajo a los del patio. Y lo peor es que no podemos defendernos ya usted sabrá por qué. Dígame, ¿le parece decente que todo un pueblo se deje gobernar por leyes hechas en un parlamento extranjero?

—Ya sé por dónde viene. Independentista, ¿verdad? Germán suspiró.

—Ni siquiera estoy seguro —dijo.

—Sí. Esa manera de hablar. Un primo mío, también...

—La verdad es que éste es un país como cualquier otro, con derecho a resolver sus asuntos por sí mismo y según sus propias posibilidades. Es lo que hacen todos los países del mundo y a mí me parece lógico y normal. Quedan pocas colonias.

El chofer frenó violentamente, volvió el cuerpo contra el asiento y lo encaró impaciente.

—¿Es o no es ciudadano americano? —le preguntó.

—Sí.

—¿Y entonces?

—No me consultaron —dijo Germán—. Siga, que voy a llegar tarde.

—En México, en Chile, en ningún sitio consultan. Uno nace con la ciudadanía.

—Cierto. Me expresé incompletamente. Dele, que van a ser las y media.

El chofer arrancó abruptamente, haciendo sonar a desgarradura metálica el engranaje de la transmisión. Germán sintió un extraño impulso de aplastar a puñetazos la cabecita, la delgada nuca renegrida. La propaganda, producto de la propaganda. Y dijo serenamente:

—No nos consultaron en 1917, cuando nos impusieron su ciudadanía, quise decir. La impusieron a pesar de que el pueblo se opuso a través de sus representantes. Fue un acto de fuerza. Una manera de legalizar la colonia. Inmediatamente empezaron a reclutar obligatoriamente a los puertorriqueños para mandarlos a la guerra. Cosa que han seguido haciendo hasta hoy, con eso de Vietnam, a pesar de que la juventud se resiste. ¿Cuántos jóvenes de este país han muerto en esa guerra? Carne de cañón.

El chofer lo examinó con una mezcla de duda y resentimiento. La imagen de Meléndez flotaba ante su mirada: asentía gravemente, y alzó la cara como para iniciar una explicación. Pero el taxi se detuvo.

—Aquí es —dijo el chofer—. Son setenta y cinco.

Germán le tendió un billete de a dólar. El taxista mantuvo el billete a la altura de sus ojos, marcando en sus labios una feroz mueca de triunfo. Hurgó en su bolsillo y dijo:

—La vuelta. Un quarter americano.

—Guárdeselo.

Mientras oprimía el botón para hacer bajar el ascensor Germán reflexionó que poco a poco, casi imperceptiblemente, había empezado a girar en la órbita de Meléndez. Experimentaba cierta perplejidad ante la inesperada defensa de unas ideas que jamás había adoptado, de una posición ideológica que, siendo sincero consigo, en ciertos momentos de su vida había ridiculizado. ¿Clarence había ayudado en forma alguna a esa débil, insegura "toma de conciencia?" Meléndez, gota que golpea persistentemente la piedra. Sin embargo, ante su amigo tenía la pertinaz tendencia a rechazar semejante posición política amparándose en oscuras razones personales o mostrando una desconfiada indiferencia. ¿Suspicacia? ¿Temor a que le hicieran deslizarse en una secreta trampa? ¿De dónde surgían tales aprensiones?

A la salida del ascensor se detuvo como bajo un golpe. ¿Carmen había empezado también a resquebrajar su resistencia? ¿Qué pensar de lo de anoche? El hecho de que empezaran a gravitar sobre él ciertas preocupaciones de índole política resultaba normal y hasta plausible, pero anoche la caída, la peligrosa grieta, la inmersión momentánea, totalmente irrazonable, en la sesión espiritista, le parecía un retroceso imperdonable, una grotesca transición de la luz a la penumbra. Cuidado, mucho cuidado, tienes que mantener los cinco sentidos claros, sin borrones, cuidado.

El despacho de Meléndez era amplio, con un gran ventanal abierto sobre una callecita atestada de peatones. El diploma de la Universidad Autónoma de México destacaba entre fotos donde Meléndez aparecía en medio de circunspectos colegas. Dos paredes estaban prácticamente forradas de pinturas y de sombríos grabados mexicanos del Taller de Gráfica Popular. Una vez, señalando una reproducción de Taita Jesucristo, Meléndez había gruñido algo referente al "opio de los pueblos". A Germán siempre le llamaba la atención el grabado de Andrea Gómez, *Madre contra la guerra,* que representaba a una mujer de pueblo con un pequeñín ferozmente protegido en sus brazos. Una pared estaba cubierta de cuadros y grabados de artistas nacionales. Irizarry con un conjunto de inquietos caballos en un abrevadero; un *Sapoconcho* de Homar; unos cosecheros de piña, de aspecto mineral, de Maldonado; un grabado de Carlos Raquel en el que aparecía un niño adormilado en una ventana de arrabal, la luz de la luna recogida magistralmente en la plancha. Germán había hecho comentarios jocosos sobre la colección, echando de menos cromos idílicos más o menos apropiados para el consultorio de un cardiólogo. Pero Meléndez había callado con visible irritación.

En la nutrida biblioteca, entre los libros propios de su profesión, había volúmenes de filosofía, política, economía y poesía. A Germán le había llamado la atención un nombre tabú: Marx.

Por la ventana veíanse azoteas espigadas de antenas, un cielo chirriante de luz, escamas de nubes polvorientas. Meléndez estaba inclinado sobre un libro abierto. Entre cliente y cliente solía leer varios minutos.

—Siéntese —dijo sin alzar la vista. Vestía de blanco, con un lazo negro por corbata. La secretaria dejó a su lado unos expedientes, le sonrió a Germán y salió taconeando.

Germán se quitó la chaqueta y la colgó en la percha, luego contempló a Meléndez con sorna.

—¿Leyendo mientras los clientes esperan?

Meléndez hizo desaparecer el libro y lo miró desenfocadamente a través de los espejuelos de concha: dos ojos inquietos, vivos y punzantes. Su cara era gris y triangular; el pelo mulato retrocedía en pequeña calva.

—¿Cómo se siente? —dijo—. Luce muy bien.

—¿Es parte del tratamiento?

—Se ve descansado. ¿Está durmiendo bien?

—Sí. Con algunos sueños extraños, pero usted no es psiquiatra. ¿Leía un libro subversivo?

—Me gustaría saber qué lee usted. ¿Los comics?

—"El Mundo", a veces.

—No le hará bien. Los comics tienen menos ficción. ¿Está siguiendo mis recomendaciones?

—¿Cuáles?

—Ya le dije que de ahora en adelante sólo les predicaré a los jóvenes —Meléndez suspiró—. Confieso que me gustaría tener esa pasta suya. Pero no me puedo poner a tocar el violín mientras el país arde.

—Arde es una palabra demasiado grave, ¿no le parece?

—Nos estamos quedando sin país y usted como si tal, haciendo chistes malos. ¡Qué sangre fría! Venga a la romana.

Meléndez anotó el peso. Le hizo quitarse la camisa, y el frío roce del estetoscopio recorrió la espalda y el pecho de Germán. Luego, circunspecto, gruñendo y echando palabrotas le tomó la presión.

—Ha subido —dijo—. Ha rebajado de peso; eso está bien, claro, pero no estoy seguro de que haya sido sólo por la dieta. ¿Por qué me llamó?

—No me sentía bien. Ahogo, me asfixiaba. No me regañe, pero tuve que caminar mucho en estos días.

Meléndez se puso a mascullar, maldijo la irresponsabilidad de Germán, y añadió:

—No puedo seguir tratándolo si no me obedece. La próxima vez no se le ocurra llamarme, porque cuelgo el teléfono. Tengo mucho que hacer con gente que realmente quiere vivir.

—No me quedó más remedio. Pero eso ya pasó.

Meléndez dio con la mano abierta sobre los expedientes. Germán sintió irreprimibles ganas de reír.

—Si está obligado a caminar más de lo que le recomendé, lo mejor es que se busque otro médico —dijo Meléndez—, otro que le ría las gracias, si lo encuentra. Mientras tanto vaya haciendo economías para comprar el ataúd.

—Calma, calma —Germán sonreía—. Voy a jubilarme.

Meléndez lo observó por encima de los espejuelos. Se los quitó y lo contempló con dificultad, cegato.

—Me dijo que no le gustaba la palabra jubilación.

—Es una simple palabra.

—¿Qué lo hizo cambiar?

—El acostumbrado interrogatorio.

—No está obligado a contestar. Acójase a la quinta enmienda burguesa. Pero para usted jubilación no es una simple palabra, como pretende.

—Estoy harto de la oficina, ¿quiere más?

—Sí. ¿Clarence?

—Todo.

—Lo habrá visto en el periódico.

—¿Lo de la gastroenteritis?

—No dejan pasar una sola oportunidad. Lo vio, ¿no?

—Sí. Es astuto. Eso no se le puede negar.

—Aquí no se trata de si es astuto o no.

—No pretendo ir más lejos. Digo que es astuto, nada más.

—¿Se fijó bien en la foto? Rodeado de un enjambre de achichincles. Una fiesta criolla. Para muchos lo nacional es el lechón y las casas de hojas de palma. La patria está en la barriga y el folklore. !Qué lástima de país! A veces me canso.

—No es nada fácil —Germán recordó la nuca renegrida, los ojillos en el retrovisor, las palabras empecinadas—. Pero se puede seguir luchando, ¿no?

—No es que se pueda, sino que hay la obligación de seguir dando la batalla en todos los frentes. Hay momentos en que nos desesperamos, pero nuestra obligación es superarlos y usar la cabeza. Trabajar en frío, golpear sistemáticamente en lo más débil del imperialismo. Todos los días. Golpear en este bastión atómico según nuestros recursos, mientras los otros pueblos también golpean. Tener conciencia de que ésta es una lucha de los oprimidos contra los opresores; propagar en todo el mundo nuestra realidad, hacerla internacional. Hacerle comprender a la gente que la lucha de Vietnam es la nuestra y viceversa, que no estamos solos. El error de muchos es creer que nuestra batalla debe mantenerse entre nuestras costas, mirándonos el ombligo y sosteniendo solos una pelea desigual, como si la esclavitud de un pueblo no fuera un problema que incumbe al mundo entero. Sabrá que las Naciones Unidas tienen un comité encargado de estudiar los casos de colonialismo que quedan. Es lo natural, el colonialismo es causa de roces internacionales y guerras. Vivimos un gran momento, mi amigo. Pero no hay que cegarse con el comité de descolonización. Eso puede ser una gran ayuda, pero la independencia la traeremos nosotros. De hecho, ya Estados Unidos intervino en el comité para evitar que se viera nuestro caso. Actúa como si las Naciones Unidas fueran el Congreso de Washington. Y tiene éxito, bueno que lo sepa. ¿Cuándo empieza las gestiones de jubilación?

—Esta semana.

—Me alegro. Puede llevar mi recomendación. ¿Se lo informó a Clarence?

—Desde luego.

—¿Qué dijo?

—Quiere que me quede.

—Su decisión de jubilarse es lo correcto. Se lo digo como facultativo. ¿O quieren seguir exprimiéndolo?

—No empiece de nuevo. Recuerde la taquicardia. ¿Qué manía tiene de que me exprimen? ¿Tengo cara de víctima?

—No se habrá mirado en un espejo. Todos la tenemos. Y aunque no la tuviéramos. Incluso los malinches que se dedican a agasajar a sus amos son víctimas, pero no quieren darse cuenta y se consideran libres y felices. ¿Sabe por qué? En parte, porque no conocen otra realidad que la colonial, y el malestar y la humillación que sentirán en ciertos momentos los achacarán a la "condición humana"; es decir, creen que es un sentimiento absolutamente normal. Pero no tienen justificación. Han debido enterarse, es su obligación. Subjetivamente, creo que tienen alma de lacayo. Dígame, ¿ha estado siempre en relación continua con norteamericanos?

Germán lo miró, sorprendido.

—No tiene ni que preguntármelo.

—Desde su niñez, ¿cuántos superiores yanquis ha tenido?

—Pues... ¿Piensa hacer unas estadísticas?

—De buena gana lo haría. Cojamos mi caso.

—Me parece que le va a dar un infarto.

—Veamos. En primer grado de escuela elemental, la supervisora de inglés. ¿Recuerda que hacían a uno jurar fidelidad a su bandera? Pues bien, ahora están en lo mismo. Incontables los yanquis que intervinieron durante mi vida de estudiante. La reválida la hice en inglés, claro, y según los estatutos de Washington. Esto es llover sobre mojado, hablar de lo resabido, pero ahora que se va a jubilar tendrá tiempo de pensar en estas cositas, ¿no cree?

—¿Este es el consultorio de un cardiólogo o una sala de torturas?

—Hasta el cura que me casó era americano. El dueño de este edificio, también. No tengo que mencionar el ejército, porque es de ellos.

—¿Cómo? ¿Es veterano?

—De la Segunda Guerra. Pero no combatí contra los nazis de ayer. El regimiento fue sólo a zonas de ocupación. Era una guerra entre blancos, ¿ve? Corea y Vietnam son otra cosa. Dos años en Alemania. Era muy joven, nulo políticamente —de pronto, Meléndez pareció abatido; dirigió la vista, entrecerrando los ojos, hacia la ventana—. Ha llovido mucho desde entonces. Cuando lo de Corea, apenas hubo resistencia al reclutamiento. Murieron centenares de puertorriqueños; ni hablar de los inválidos, física y emocionalmente hablando. Ahora la cosa ha cambiado. Esos centenares de jóvenes que resisten el servicio militar obligatorio son admirables, la esperanza de este país. Atacados por la gran prensa, espiados y presionados en todas formas, amenazados con años de prisión, no cejan. ¡Qué temple, qué calidad! ¡Qué diferencia de los canallas que en noviembre pasado ultrajaron la bandera puertorriqueña!

—Un momento. ¿Ultrajaron, dice?

—Para celebrar el triunfo electorero de los anexionistas.

—No me enteré, no.

—La escupieron, pisotearon y quemaron. De esa manera demostraban su lealtad al amo.

Germán miró al suelo, extrañamente desconcertado. Eso, la quema de la bandera... Pisotearla, escupirla, quemarla. Entonces, realmente, había gente capaz de llegar a tal extremo.

—Tenga —dijo Meléndez.

Germán alzó la vista y tomó el recorte de periódico.

—¿Qué es?

—Véalo.

La foto mostraba a un hombre oscuro, calvo, de unos cincuenta años, en cuatro pies, cubierto con la bandera norteamericana. A su lado, otro hombre, de enclenque aspecto campesino, arropado con una bandera similar, llevaba en la mano un santo de palo.

—Pagando una promesa —comentó Germán, turbado—. No lo había visto. Fue en la caravana del triunfo, ¿no?

—Sí. El carnaval en el que aullaban su fidelidad a Washington. Psicopatología colonial. Deformaciones típicas de todo país sometido, reacciones del subdesarrollo moral y político. Todo eso me parece el colmo de lo grotesco, una horrible mutación cultural. Producto de la propaganda asimilista, de la despersonalización por medio de las vías más sutiles o violentas. El miedo, la superchería, los sentimientos de inferioridad paren esos engendros. ¿Y los líderes? Habría que hacerles un examen minucioso para ver si tienen cromosomas de más o de menos. ¿Cómo se puede ser tan leal al invasor y recibir homenajes, medallas, títulos de honor y no una bala en la cabeza? —recogió el recorte, lo estrujó y lo echó en el canasto—. Pero objetivamente ésa es la realidad que hay que afrontar, amigo. Y, aunque este país está gravemente enfermo, para eso existen medios terapéuticos. Hay grandes sectores de la población que odian la asimilación, la estadidad, que aunque sean puertorriqueños por amor a la folklórico, pueden ser movilizados. Duermen, pero ya ha habido muestras de que empiezan a despertar. Con la amenaza de absorción, es seguro que la lucha se polarice definitivamente y se haga radical. Pórtese bien, Germán, siga mis recomendaciones para que pueda ver el feliz término de la empresa. ¿Qué va a hacer cuando se jubile?

—Veremos.

—Tendrá que ocuparse en algo. Pasatiempos... Puedo darle una certificación.

—Le avisaré cuando la necesite. Iré al cine. Me gustaría ir a México.

—Si va, no deje de avisármelo. Un mexicano es un mexicano. Ponga a caminar la plata ahora que tendrá tiempo. ¿Quién le reemplazará?

—No sé. Hay bastante gente disponible. Mi trabajo lo hace cualquiera.

—No lo creo. ¿Cómo le cae Clarence?

—Ni bien ni mal. Mándeme la factura a casa. Que no sea muy alta, puede producirme un infarto.

—Tómese el valium cuando le llegue. Lo mantendrá sereno.

—Siempre es bueno recibir correspondencia. Aunque sea de esa clase.

—Pobre consumidor enajenado. ¿Nadie le escribe?

—Deudas que había olvidado. Vienen tropezando de dirección en dirección.

—¿No tiene amigos?

—Pues sí. Hace semanas recibí una invitación de mis excondiscípulos, ¿qué le parece?

—Normal.

Germán se levantó y cogió su chaqueta.

—Bueno, ya sabrá de mí.

—Siga la dieta.

—Sin sal, lo que ayuda a subir la presión.

—No sabe ni un comino de eso. Reúnase con sus amigos. Anímese. Y no falte a la próxima cita, porque se la voy a cobrar de todos modos.

—Soy su mejor cliente, sin embargo nunca quiso comprarme un seguro.

—Camine por la sombra. No se agite. Guarde la dieta. Búsquese un entretenimiento sano. Así podrá llegar a ver cosas muy interesantes. Ahora que disfrutará de tiempo suficiente, haga un esfuerzo y lea a Fanon y a Che Guevara. Lo orientarán para lo que viene, podrá comprender mejor el proceso.

Antes de salir, Germán vio cuando Meléndez se ponía los espejuelos, sacaba el libro y empezaba a leer los minutos habituales entre consultas.

REDOBLE DE TAMBORES, claro fraseo de cornetines. Ella avanza charlando con Elena. Un joven rubio las sigue mansamente.

—Linda, ¿ah, *One day yes?*

No responde porque acecha la presa tirándose de la chaqueta, manipulando el nudo de la corbata. Carraspea sacando el pecho, escudriñándose de perfil en el espejo donde rutilan otras luces.

—Germán, ésta es Celia. Preston.

Estrecha la mano tersa, fría y crispada. En sus ojos la luz descubre un café translúcido, un denso vino, dos uvas quizá, una aglutinación sombría.

—¿Cómo estás, Celita? Creíamos que ya no venían. ¿Bailan? Elena, un disco lento. ¿Qué van a tomar? Preston, sírvele algo. Esto es serve yourself. Germán, ¿no quieres otro scotch? No perderás la línea. Fue el héroe de las justas intercolegiales del año dejémoslo ahí. Galgo, un corredor feroz, imposible, distancia y velocidad. ¿Quieren ver las fotos? Nos retratamos juntos. Elena, mija, ¿traerás las fotos? Destrozó sin pena el record. Hubiera destrozado el centroamericano también, ¿no crees Sergio? ¿Qué tú dices, Charlie? Bueno, que bailen los recién llegados. Celita, Preston, show time.

Se deslizan girando. El joven apoya su pulcra cabecita en el hombro de Celia, quien no puede disimular un gesto irónico. Germán adivina la obstinación de la muchacha, su furiosa independencia, su atroz soledad. Jorge lo toca exageradamente con el codo y, cuando termina el disco y Celia se aparta rápidamente, Germán la invita a bailar el beguine. Las mejillas se tocan con un roce dispeante a cada vuelta. La respiración de Celia es afanosa, huele a menta, a cierto jarabe apurado en la niñez, a determinado elíxir amargo y caliente. Germán aquilata el cuerpo delgado, denso en los muslos y el pecho; lo siente balancearse acompasadamente bajo su mano de uñas concienzudamente acicaladas.

—Entonces usted es el célebre Germán, ¿no? Puedo decir que lo conocía. Me lo describieron con lujo de detalles.

—Espero que se hayan callado algunas cosas.

—Me pareció que me habían contado toda su vida. Para bien. Están orgullosos de usted.

Amalia y Elisa lo miran sonriendo. Con el brazo cruzado sobre el hombro de Elena, Jorge mueve afirmativamente la cabeza; Sergio los observa por sobre el borde del vaso. De espaldas, Preston rebusca en la pila de discos; alza la cara y los envuelve en una mirada de perro humillado. A Germán lo domina la impresión de que le tienden una red, pero reconoce que nada haría para evitarla.

Salen al balcón. Abajo, los automóviles avanzan por la avenida orillada de lujosas viviendas. Mansiones estilo colonial español con galerías, portales, faroles, jardines, tapias, tejas rojas sobre muros enjalbegados. En algún punto, a sus espaldas, la voz de Carlos dice "Es un jaiba", y él carraspea, señala una azotea sin importancia, un portal iluminado, un muro forrado de hiedra, una familia tomando el fresco en el jardín bajo faroles y palmeras, en las mesitas de madera blanca o de hierro pintado de un blanco amarillento. Detrás de las verjas preparadas contra la mordida del salitre, no muy lejos, se adivina el mar, casi se escucha el batir de las olas contra los arrecifes y acantilados. Germán sonríe cuando alguien pone un disco de Gardel. Sergio, seguramente. Se habrá puesto melancólico. Al lado del tocadiscos, la cara roja, oscurecida por la cerrada sombra de la barba retinta, se inclina siguiendo pesarosamente la cadencia. Elisa lo abanica subiendo las cejas con gesto de resignación. Amalia permanece junto a la silla de ruedas como feroz vigilante incapaz de abandonar la posta.

—Espero poder verla en otra ocasión, Celia.

—No será fácil.

—¿No le interesa?

—Ofendo su amor propio, ¿verdad? No creo que esté tan seguro de usted mismo.

—¿Puedo llamarla? Dígame su teléfono, por favor.

—Puede llamarme por la tarde. El miércoles sería mejor.

—Hoy es sábado, Celia. Falta mucho. ¿Va a salir mañana?

—A la playa. Ya es costumbre. Me guste o no me guste.

—Al menos dígame a qué playa va. Si es necesario, me conformaré con mirarla de lejos.

—¡Qué pérdida de tiempo, Germán! —ríe Celia—. ¿Cree que Preston no terminaría viéndolo?

—Entonces va con él. Lo envidio.

—Por favor, cambiemos el tema; me dan ganas de gritar. Bailemos.

Celia se le adhiere súbitamente, apretando la mano en

su hombro. Mientras bailan, sus ojos recorren la sala, pero no parecen ver nada: Elena haciéndole señas, Jorge levantando su vaso vacío, Sergio abstraído, Carlos bailando y torciendo el cuello hacia ellos, Preston que muestra los dientes, Amalia inclinada sobre su marido. Cuando el disco termina, Celia se zafa de su brazo y va hacia Preston.

—No pierdas la paciencia, Germán —dice Jorge—. ¿Un trago? Te ayudará bastante. Sangre fría, mantén la sangre fría. Al fin y al cabo vinieron juntos, ¿no? La has acaparado. No sólo eres un galgo sino un lince y un tipo cruel con las damas. ¿Scotch? No me desprecies, estás en mi casa. Elena, saca otras botellas, que el delicioso líquido no se hizo para bañar caballos. Esto es hasta el amanezca, honey. Germán, la tierra, la tierra, ganas plata, economízala, inviértela en algo seguro. Este país tendrá que seguir progresando. ¿No me está oyendo Amalia? Sergio, no se te ocurra poner otro tango. Mira como te ha dejado el adiós muchachos. Elisa, please, no se lo permitas. Lo pierdes, se pone a llorar, hubiera querido seguir la vida de estudiante. El trabajo, la vida le dan miedo. Sergio, mijo, se te pasará con otro whisky, no llores.

—Georgie, parece que se te fue a la cabeza.

—Darling, ¿qué sería de mí sin ti, mi doctora frustrada? Germán, no conoces la paz del hogar, no sabes lo que es ver crecer los hijos. Tienes que meterte en bienes raíces y casarte, perverso.

—Jorge está alegre —le murmura Amalia—. Así es que se dice, ¿no? Pero tiene razón. En lo que se refiere a la paz del hogar, quiero decir. Celia es monísima. Me parece que hacen buena pareja. ¿Todavía no sabes quién es Schweitzer?

—Claro, claro —ríe Germán—. Leo los periódicos al menos. ¿Sigues pensando igual de su bondad?

—No estoy muy segura, de verdad. Redimir del sufrimiento físico a millares de personas. Eso está bien, claro. Pero hay otras cosas. No se adelanta mucho mientras las estructuras políticas y económicas de esos pueblos queden intactas. Como si les sanara el cuerpo para que luego vinieran sus compatriotas europeos a exprimirles el sudor. Un hombre enfermo no puede ser utilizado, ¿ves? Claro, que no lo hará con ese propósito, pero ahora me parece bastante ingenuo, a pesar de todo. Quiero decir que los problemas hay que atacarlos en su raíz.

—Sí, sí, en su raíz —Jorge se tambalea—. Amalia, no cambias. Siempre reformando el mundo. ¿Tu esposo no quiere un trago? Elena, cariño, un trago para el esposo de Amalia. ¿Algo para ti, Amalia? No me desprecies. Era la número uno de la clase, ¿sabe? La estrella. Amalia, si no es por ti me cuelgo en la espantosa clase de historia. ¿Dónde está Celita? Ah, bailando —mira a Germán y se pone a tararear volteando los ojos—. Vamos a impedirlo. Que Sergio ponga uno de sus tangos lacrimógenos. Adiós muchachos. No es justo enamorarse de ese disco a los treintipico. Pero hay una cosa importante: tenemos que seguir reuniéndonos; ¿alguien se opone? Aquí. Esta es la casa de todos mis amigos. Germán, faltaste el año pasado. Celita será la clave para que no vuelvas a faltar. Vamos a ver qué hacemos. Sergio, "Adios muchachos", please. Sácala, Germán, jaiba. Vi tu máquina. Es un palacio en cuatro ruedas, debidamente habitado por las noches. Si yo pudiera hacer lo mismo. ¡Perdón! ¿No me oyó Elena?

Germán ve cuando Celia se aparta de Preston y se entretiene ojeando los discos. En un instante dirige una rápida mirada hacia él, saca un disco y lo pone en el aparato. Germán la toma del brazo, la lleva rígidamente hacia el centro de la sala y bailan.

—Puedes llamarme cuando quieras, Germán. Y no voy a la playa, ¿qué puede pasar?

—Te quiero, me casaría mañana mismo contigo.

—¿Lo dices en serio?

—Sí. Mañana mismo, palabra.

—¡Pero si acabamos de conocernos!

—Me conocías por referencia. Soy tal y como me habían descrito.

—Podríamos resultar polos opuestos.

—Si es así, me corro el riesgo con gusto. Habrá manera de entendernos. Eres admirable.

—¿Yo? No estés muy seguro.

—Lo eres.

—No, no lo soy. Pero es un cumplido, ¿verdad? Don Juan. Bueno, ahora tengo que irme.

—¡Pero si es temprano!

—Tengo que irme, ¿entiendes?

—Te puedo llevar en mi carro.

—No, gracias. Estás loco, Germán.

Celia se contonea hasta la mesa y coge su cartera.

—¿Qué, te vas, Celita?

—¡Qué remedio! Elena, todos, buenas noches. ¿No se me queda nada, Preston?

—Llévate la casa si quieres, Celita. Saludos a tu padre. Dile que iré por allá esta semana. Recuérdale que no debe comer grasa, el pobre. La vida es así. Preston, ¿puedes guiar bien? ¿El delicioso líquido no se te ido a la cabeza? Acompáñalos, darling. ¡Qué lástima, alguien se quedará muy solo!

—Trágico, trágico —gruñe Sergio—. Es tarde, ¿no?

Entonces hay un silencio, y Germán percibe aún en el aire un perfume, una voz, mientras la ceniza cae de los ceniceros, los vasos bailan medios sobre las mesas y el rumor de un motor se aleja por la avenida.

Elena se pone a ordenar la sala.

—Yo te ayudo —le dice Amalia.

SEGÚN LO ACORDADO con Clarence, durante la semana le impartió instrucción al nuevo empleado, enmascarando minuciosamente un disgusto polvoriento. Toda la amargura de una vida, oculta y palpitante, se había desencadenado en esas activas jornadas. Era curioso e irritante comprobar que ese otro recién llegado, semejante a Clarence en su oportunidad, se creía en el derecho de enmendar sus juicios, su estilo de venta y lo peor, sus apreciaciones sobre el país. Tan pronto plantan los pies en este suelo (había pensado Germán) descubren una inequívoca mansedumbre, una mal entendida hospitalidad, ¿irreprimible voluntad de que las decenas de millares de extranjeros acaben de enajenarnos la tierra, la riqueza, los rasgos nacionales que nos van quedando y nos arrojen al mar? Con la enardecida imagen de Meléndez de fondo reconoció que el característico "ay bendito" con que se expresaban a menudo sus compatriotas no era más que una fórmula destructiva, una frase que ocultaba una autocompasión sensiblera y paralizante. ¿En ella descubrirían de inmediato los usurpadores una borrosa enfermedad moral, la incapacidad para mantener una lógica y viril vigilancia del propio patrimonio? Sin duda el "ay bendito" significaba debilidad, abulia, flojeza de espíritu, sentimientos de inferioridad incluso ante los más mediocres extranjeros, fatalismo, superchería, miedo. ¿A esa conclusión desalentadora llegaba ahora, enfermo, en los últimos años —o meses, o semanas, o días— de su vida? Sus tardes habían terminado atiborradas de esas reflexiones nada tranquilizadoras. ¿Podía levantar el puño para decir no, entregarse a una lucha tardía, perdida para él? Irónicamente, Borinquen, nombre indígena del país, significaba en la extinta lengua taína "Tierra del altivo señor". Pero por ningún lado reconocía altivez en los puertorriqueños.

Aparte de esas inquietantes meditaciones, lo alentaba la satisfacción —que a ratos consideraba mezquina— de hacer planes para su futuro inmediato. Visitaba a su ahijado, acudía al cine —pero ya no estaban aquellos magníficos actores de antes— ojeaba con inusitado interés las vitrinas de las agencias de viajes con sus grandes estampas turísticas. México le llamaba poderosamente la atención. Resueltos los trámites de jubilación —cosa de pocos días, probablemente— decidiría la fecha de emprender el viaje. Pero, ¿por qué México? Cuando se hacía esta pregunta, prefería cambiar el objeto de su pensamiento.

Hacia finales de semana lo asediaron extrañas divagaciones.

Tuvo la impresión de que hombres y mujeres, viejos y jóvenes, vivían insertados como anónimas piezas en un monstruoso mecanismo de reloj. Aparecían exactamente a las siete de la mañana en los portales, se movían con precisión a través de las puertas, a lo largo de interminables pasillos, cruzaban las mismas calles a la misma hora, abordaban los autobuses justamente a la hora de todos los días, y regresaban a sus hogares invariablemente a las cinco y media. Marchaban armados con zapatos, trajes humanos de uso, corbatas, faldas, bigotes, rouge, café a las diez, una hora a mediodía; en los anhelados atardeceres de sábado las parejas se trenzaban jadeando con extraño odio detrás de las puertas cerradas.

Había sonreído con sorpresa cuando reflexionó en lo libre y original que resultarían algunas aventuras en ese ambiente totalmente codificado: cruzar la calle andando sobre las palmas de las manos, irrumpir en un refrigerado banco con los calzones enrollados y sin camisa, presentarse ante el grave funcionario del Seguro del Estado con un ramillete de siemprevivas, obsequiarle una violeta marchita al opulento terrateniente, correr dando gritos por las atestadas aceras y abrazar a los millares de desconocidos y convencerles de que es mentira, no todo anda bien, les han tomado el pelo.

Una noche, después de comida, se dejó caer en la cama —estrictamente vestida, sin pliegues, ordenada, limpia— contemplando con avidez uno de sus viejos zapatos como a un objeto nuevo, nunca observado; incluso llegó a tener la convicción de que encerraba una belleza extraordinaria, sistemáticamente pasada por alto. Examinó el tacón, paseó el dedo por el atormentado borde de la suela, estudió las grietas, los cordeles desflecados en las puntas, el interior manchado, los números desleídos por el roce del pie —sus pequeños pies de un blanco insoportable, llenos de escoriaciones—, olió conmovido su tufo francamente humano experimentando un desasimiento, un descascararse de costras innominables. Repasó cautelosamente las sillas, sus patas estropeadas por los golpes del estropajo, los cojines humillados en señalada servidumbre, el tocador insignificante cuya luna albergaba un mundo de espectros, los sombreados escondrijos del armario oloroso a humedad vegetal, a madera vieja (había tenido la oportunidad de escudriñar un escarabajo, sus vellosidades atabacadas, el taimado movimiento de sus patas, detestado por maquinal; entonces sepultó el despertador bajo un montón de ropa, porque su tic tac se le antojó insoportable). Pero el momento de comunicación con sus objetos se esfumó gracias a su determinación de arrancarse del absurdo. Rescató el despertador de su mortaja de ropas y salió a dar el paseo vespertino. Niños, hombres y mujeres llenaban las aceras. Los chicos parecían libres, pero incubaban trocitos de eslabones tiernos como cartílagos. ¿Alentaban ilusiones? Crecer, parecerse al adolescente vecino. En la adolescencia envidiaban tormentosamente al hombre que duerme todas las noches con una mujer; tenían conmovedoras fantasías. Luego todo se confabulaba para que se hicieran de un oficio, una carrera, un modo de ganarse la vida. Entonces decidían vivir con la mayor holgura, formaban familia, cultivaban un bigote, se unían sin pensarlo dos veces a un club. Después de años de oscuras inquietudes y vacuo éxito llegaba el momento extrañamente anhelado: la jubilación. Vagamente, a lo largo de su vida, habían tenido esa palabra incrustada en el cerebro sin considerarla a fondo: bastaba estar vivo. Ahora podrían dedicarse a. Tendrían suficiente tiempo para. Tan impreciso como la luz crepuscular. Pero siempre se podía practicar la pesca, la filatelia, la numismática. Sobre todo, cuidar amablemente de los nietos, atestiguar su crecimiento y enorgullecerse de esa nariz, de esa barbilla que recuerdan la propia nariz, la barbilla propia inmortalizada en una foto amarilla arduamente conservada; pero esto era vivir de polizón otras vidas, encarrilarse en la trayectoria de otra flecha más disparada hacia el blanco común. Y pocos, mientras la flecha se precipitaba fatalmente, se atrevieron a confesarse la palabra muerte.

La tarde del viernes, mientras subía las escaleras hacia su habitación, se abrió la puerta del fondo. Germán apretó el paso, pero ya Carmen había alcanzado el pasamano. Contempló el semblante estrujado, la irregular partidura del cabello donde el tinte rojizo se abandonaba a las canas.

—¿Por qué tan compungida? ¿No es su día favorito?

—Venga, venga.

—Vamos, cambie esa cara.

—Venga.

La siguió al cuarto; esquivó la cama, excesivamente alta y vasta, instalada a dos pies de la puerta. La luz destilaba de un vidrio, derramando un líquido verdoso en la sábana. Olía a albahaca, a mejorana, a alcanfor, a sueño clausurado. Calor. Impresión de haber descendido entre vigilantes muros de tierra. ¿Así sería el interior de un panteón? Pero sin el perfume vital de la mejorana y la albahaca.

En la oscuridad Germán columbró el santo de yeso con una vela apagada.

—Están tratando de hacerme daño —dijo Carmen.

Su cabeza se agachaba aureolada por el resplandor del vidrio, la testa de un mártir en una remota sacristía de su niñez. Los espirales del incienso habían sido suplantados por el aroma de las plantas.

Germán se aproximó cautelosamente a la cuna y descubrió el cuerpo del gato.

—¿Qué le pasa?

—Se está retorciendo con cólicos.

—Lo veo quieto. ¿Cuándo le empezaron?

—A eso de las diez.

—¿Qué comió?

—Leche.

—¿Vomitó?
—No.
—A las diez, ¿no?
—Como a esa hora le empezaron.
—Está quieto.
—Le habrán pasado ya.
—Puede que esté muerto.
La cabeza se estremeció sobre la pantalla verde.
—¿Prendo la luz? —dijo él.
—No, le molesta.
—Así no puedo verlo bien.
—Tóquelo a ver si respira, Germán.
—No. Prenda la luz.
—Pobre Michito. Pobre hijito mío.
—No se preocupe tanto.
—Dígame qué puedo hacer.
—Está quieto, no se preocupe. ¿Sólo tomó leche?
—A las nueve. No vomitó. A las diez le empezaron.
—Déjelo que coja sol entonces.
—Hay muchos perros, muchos peligros.
—Tiene que vencer esos miedos, Carmen.
El tufo a jamón triturado, a zumos de cebolla, ajo y pimiento, se hizo intenso. El cuerpo de Carmen se adhería al suyo. Germán se apartó discretamente, tropezando con la cama. Dijo:

—Puede ser una indigestión. Lo sé porque una vez tuve un gato. Minino. Poco original, ¿verdad? Un día llegué de la escuela y ya no estaba. Mi madre dijo que temía que me arañara. Por eso lo había regalado.

—Mire, se está moviendo.

—No se lo agradecí, desde luego. Sí, se mueve. Puede estar tranquila. Era triste regresar de la escuela y no encontrarlo. Había un vacío.

—¿Un gatito, dice?

Germán atisbó pensativamente la cuna; el cuerpecito estaba inmóvil.

—No.

—Dijo que se llamaba mínino.

—Mire, volvió a moverse. Anímese. No se llamaba Minino, sino Leal.

—Entonces era un perro.

—Años después lo vi en casa de una amiga de mamá. Era enorme. Se llamaba Pinto, pero era totalmente blanco. Quería morderme. Le tiré piedras. Porque lo odiaba y quería matarlo. Leal también me hubiera matado, supongo. Después me enfermé, me dio fiebre y lloraba por cualquier cosa.

La silueta ribeteada de luz verde lo acosaba junto a la cama; una mano se apoyó en su pecho.

—Cálmese —ordenó Germán.

—¿Crees que se curará?

—Mañana estará bien —respondió severamente—. Ni siquiera me dejó prender la luz.

—Préndela, no importa.

—Ya no.

Germán hizo una breve, mecánica reverencia profesional y salió. La luz del atardecer rebrillaba en las paredes del vestíbulo, envolvía las casas, amasaba una pasta luminosa en la calzada.

Germán subió las escaleras, entró en su habitación y se plantó ante el tocador. Esta noche tendremos música espiritista, mucho cuidado. Se acicalaría, emprendería el paseo habitual, comería y se internaría en un cine.

Mañana era sábado, finales de mes. Sus relojes marchaban perfectamente sincronizados.

Se apretujan en bulliciosa rueda alrededor de la mesa bajo las guirnaldas de papel crepé. Huele a helado de vainilla, a bizcocho casero, a bombones y a ropa recién planchada.

Germán estrena camisa blanca, correa de cuero negro, pantalones largos y puntiagudos zapatos de charol.

—Mamá me va a comprar unos zapatos iguales —dice Guillermo.

—¿Te gustan?

—Sí. Me los va a comprar. Deja que me los ponga.

—No. Te quedan grandes. ¿Es tu prima?

La niña devora con la vista el bizcocho en medio de la mesa. Tiene largas trenzas, ojos oscuros y una naricita constelada de pecas. El vello brilla en sus mejillas como lana incolora.

—Sí. Se llama Berti.

Pechugona, la mamá de Guillermo los abarca con un movimiento de brazos, un despliegue de alas.

—Ven, nene, apaga las velitas mientras cantamos Happy Birthday. Que no se quede nadie sin cantar. Ahora. Tú también, Germán.

Berrea desafinado. Berti se encorva sacudida por la risa, columpiando las trenzas. Se ríe de él. Un pedazo de Bizcocho aterriza en el plato de Germán.

—No me dejen sin helado —dice.

—Nadie te va a dejar sin helado, bobo —ríe mamá, perfumada—. Ahora, al patio. Y no te ensucies, ¿oíste? Ve y juega con tu hermanito.

—No.

—Mira que se queda muy solo.

—No.

Berti salta sobre un pie, sobre el otro. Sus paticorias son largas, descarnadas bajo la falda de corazones estampados. No lo mira ni un instante.

En el patio, Germán galopa desde el balcón a la verja golpeándose rítmicamente el muslo, jinete veloz; relincha, caracolea, piafante potro.

—Ven, Guille, vamos a echar una carrera.

Las punteras de charol multiplican los rayos del sol. La tierra se agita con movimiento mareante bajo los pies maravillosos del niño cometa.

—Me ganaste —lloriquea Guillermo.

—Te dejaste ganar, bobo —chilla Berti.

—Corro más que tú también.

—Porque soy niña, por eso.

—Más que todos.

—Otra vez, Guille —dice Berti—. Gánale.

Germán se ajusta los pantalones largos. Los pies se resisten aprisionados en los zapatos de charol, que vuelan de nuevo. Saltando una cuerda invisible, Berti no ve su triunfo. Con la cara húmeda de lágrimas, Guillermo se pone a saltar frente a Berti. Los otros chicos los rodean en saltarín círculo.

Solo en el patio, Germán se yergue sobre las palmas de las manos.

—¡Miren lo que hago, miren!

Observa el mundo patas arriba, vertiginosamente; la

cabeza le va a estallar. Las piernas de Berti, barnizadas de luz, saltan, giran.

—¡Mira, Guille!

Ejecuta una voltereta y cae con aplomo sobre los pies. Los adultos sonríen.

—Cuidado no te ensucies la ropa, nene.

—Ahora vean esto.

El hombre de goma hunde la cabeza en tierra y realiza una admirable vuelta de carnero. La casa, los árboles, las paticorias en movimiento naufragan en breve remolino. Los dedos de mamá tironean su oreja.

—Te dije que no ensuciaras la ropa nueva.

Un coro entona un canto:

A Germán lo regañaron
a Germán lo regañaron

—¡Me echo a correr con cualquiera!

Los otros chicos saltan la peregrina. La cara de Berti está roja, sus trenzas coletean sobre sus hombros.

—Ven Guille. Me dejo ganar.

—No te lo quieras llevar, oye —protesta Berti.

—Me tienen miedo. Ninguno se atreve.

—¿Qué te pasa, nene? —dice mamá—. ¿Estás enamorado?

Los adultos ríen. A Germán le zumban los oídos, se le aflojan las tripas.

—Tan mono con sus pantaloncitos largos.

—Y sus zapatitos de charol.

—Es todo un hombrecito.

Germán hunde la barbilla y rodea la casa empujando con la reluciente puntera de su zapato un vasito de papel. Huele al polvo arrebujado bajo la casa como espesa ceniza dorada, a cemento lamoso, a nido de ponedora, a orina fermentada sobre madera. Abre la boca todo lo más que puede, se tira elásticamente de las comisuras, expande las aletas de la nariz; con los índices, oblicua sus ojos de dragón oriental; saca la lengua y muestra los dientes afilados, aterradores. Ríe siniestramente, crispa los dedos hasta convertirlos en garras, ruge arrojando llamaradas por los ojos.

—Patas flacas brincando estúpida.

Al otro lado de la casa, los zapatos lustrados, pero no nuevos como los suyos, golpean el piso del balcón. Es ella, no es ella, es ella, no es ella.

—Me toca a mí —plañe la voz de Guille.

—Mujercita. ¡Estúpida mujercita!

—¿Dónde se habrá metido ese niño? —dice la voz de mamá.

En cuclillas, rodeado de una vegetación malsana, el explorador inglés introduce audazmente su lanza en una profunda cueva.

—Vamos, sal de ahí, monstruo.

—El chiquitín es más vivo, más despierto —dice la voz de mamá—. Este es distraído y lento.

—Raulito es tu misma cara.

—Si vieras, ya está aprendiendo a leer. Y sólo tiene cuatro años, figúrate.

El explorador bate la garrocha en las selvas meridionales del Africa; laten tambores indígenas. En la rama de un corpulento baobab, un pajarraco lanza un graznido espeluznante. Los ojos de las fieras le rodean en la sombra. Una araña monstruosa emerge disparándole rayos mortales.

—¡Auxilio! —grita la bella amazona.

—No temas. Te salvaré.

El vaso de papel se convierte en un foso profundo.

—Esta es tu casa, monstruo.

—Lee todos los libritos que le trae su padre. No puede ser que un niño de ocho años sea así. Raulito es más despierto.

—Cambiará, no te preocupes.

—Ojalá. Su padre lo consiente demasiado. ¿Dónde compraste el collar?

—Tan educadito que se ve. Me lo regaló Manolo.

El monstruo incrusta una garra oscura, vellosa, en los bordes del foso. Se aúpa peligrosamente, va a escaparse, arrasará la comarca, envenenará las aguas, incendiará las chozas de los nativos. Sudoroso, rodeado por una espesa nube de mosquitos, bajo la mirada de los buitres, el explorador lo hace retroceder con un certero golpe de lanza.

—¡Mi héroe! —la bella amazona salta sobre un pie, sobre el otro—. Te quiero dar un beso, mmmúa.

—Ojo avizor con las víboras.

—Mi héroe, tú me salvarás.

Serpientes venenosas, tigres, leones con fauces escalonadas de puñales, perezosos hipopótamos, elefantes que aplastan edificios acechan en la espesura. Una poderosa mano del explorador sostiene la jaula, la otra abre una trocha a machetazos. Con tentáculos rastreadores y olor a sangre, las plantas carnívoras caen bajo sus mandobles. Dos monos ríen en los ramajes de un árbol.

—¿Ves lo que te digo? Así está horas. Se olvida hasta de comer.

—Ya le pasará cuando crezca. No te preocupes.

—No olvides preguntarle a Manolo dónde te compró el collar. Está precioso.

La bestia aúlla moviendo los tentáculos. A lo largo de los muros del castillo, próximo al puente levadizo, bajo atalayas y almenas, lo rodean sus súbditos, saltando jubilosos.

—Mirad lo que traigo. El monstruo del corazón del Africa. Lo cacé yo solito.

Vestida de rosa y corazones estampados, la amazona deja de saltar y lo mira con sus ojos oscuros.

—Lo saqué de la cueva yo solito.

Lo muestra dentro de la jaula, acercándolo a los súbditos, que huyen despavoridos. El explorador ríe, no se burla, pero ríe. La amazona está enfrente suyo, los puños en las caderas.

—Interrumpiste el juego, idiota —dice incomprensiblemente.

—Vedlo. Es un monstruo. Lo capturé yo mismo.

La amazona Berti alarga el brazo, coge con destreza la bestia, que pedalea en el aire inofensivamente, y la exhibe ante los ojos atónitos y los aplausos.

—¡No teman, no es un monstruo, sino una inofensiva arañita!

Germán le tira de las trenzas hasta hacerla suplicar perdón arrodillada ante sus zapatos de reluciente charol, ante sus largos pantalones de hombre de ocho años; luego corre llorando hacia casa, donde papá lo espera sonriendo, con los brazos abiertos.

UNA PROFESORA —MUERTA hacía muchos años— había aventurado un mezquino pronóstico sobre su vida. El limpiabotas Germán. Brillo. Betún y griffin. Señora, señorita, lustro sus chanclas, sus botines, sus zapatones a los pies de usted.

Germán sonrió sin dejar de mirarse en el espejo. Exactamente cincuenta y nueve años con siete meses y veintidós días, podría considerársele relativamente joven, ¿no? Cómplice de su durabilidad, el pelo lacio y castaño apenas permitía entrever las canas (no demasiadas), y sólo empezaba a clarear ligeramente en la coronilla. ¿Es cierto que se tiene la edad que siente el corazón? Prohibido terminantemente mencionarlo, el suyo ha estado a punto de ser arrojado a la basura. ¿Hubiera seguido latiendo allí, entre borras de café, cáscaras de naranja, cascarones de huevos, sobras de comida? Solitario corazón palpitante devorado por hervidero de hormigas. Hormiga muere de infarto cardíaco. Se suplica no envíen flores. Oración por el descanso de su alma. Le sobreviven todos los hormigueantes hormigueros del planeta. Por cuyo favor les vivirán eternamente agradecidos. Les vivirán y encima eternamente. Cincuenta y nueve con siete y ventidós. Su cara permanecía envidiablemente lozana, y su cuerpo había quedado fijo desde hacía tiempo en una línea razonable. Palabra justa. Por otra parte, a juzgar por su aspecto ahora que vestía un traje realmente caro (Botany 500), cualquier inocente podría tomarlo por banquero. "¡Burgués!", gruñiría Meléndez. Vamos, doctor, déjese de vainas, ¿quiere que sea víctima de otro infarto? Creo que dices muchas verdades, pero yo, ahora, difícilmente podría entregarme a la causa, lo sabes bien. Disfrutar los hermosos años de la madurez, la vida empieza a los ochenta y ocho. Admirable ejemplo universal el de don Pablo y la ninfa: el amor incontaminado no reconoce edades y repudia los millones de millones de polvorientas fichas del Registro Demográfico (triste oficio envejecer entre tarjeteros atestados de nombres desconocidos, entre incesantes nacimientos y defunciones). Germán Ramos, exagente de seguros, nacido diminuto en un pueblecito de la Isla y alargado extrañamente a lo largo de más de medio siglo, misterioso engendro de carne y hueso, conquista dramáticamente a bella quinceañera. Los padres de la chica se oponen encarnizadamente (perfectamente previsible). No todos los padres de chicas bellas son comprensiblemente comprensivos. ¿Bella? Mirándolo bien, no tendría que serlo. ¿Quién dijo lo de juventud, divino ya se sabe? Tesoro. Primer año de université. Darío. Y aquello de ya viene el cortejo. Palabra horrible. Meléndez hablando de fusiles y mariposas, señor, ¡qué elemento!

Anudándose la corbata que olía a tela nueva (Wembley, tres dólares cincuenta) se asomó a la ventana. Las linternas de los pescadores desfilaban por el caño; espigado de cocoteros, el litoral se tornasolaba en estampa cobriza; la rada era una lámina de asfalto y el cielo se despellejaba como una piel amarillenta. Al otro lado de la calle el gramófono inició por milésima vez un rock, sobre el que se escuchó breve, irreal, el berrido de su ahijado. Maximiliano, razones para arrastrar un furioso complejo toda la vida. ¿A quién se le ocurre? La tiranía del santoral, una tradición como cualquiera otra.

Germán terminó de acicalarse, examinó su dentadura y se observó desde distintos ángulos en el espejo, sonriendo, riendo, enseriándose y ensayando graves palabras. Luego echó un vistazo circular a la habitación, cerró la ventana y salió.

El aliento de la temprana noche barría hojas de periódicos en la avenida, polvo, vasos de cartulina, envoltorios de cigarrillos. En las callejuelas aledañas las bombillas habían sido apedreadas para propiciar el golpe de mano, el estupro o el pinchazo de la hipodérmica. En un polvoriento matorral hipaba un coquí, y las chicharras chirriaban enloquecidas entre la yerba de un solar abandonado donde los vecinos vaciaban subrepticiamente la basura. Bajo el cielo sobresalía un enorme multifamiliar rodeado de casitas de madera que ostentaban mellados balcones de balaustres, en los que sus habitantes pasaban largas horas mirando hacia la avenida, abanicándose con trozos de cartón, resignados al vapor del asfalto, a la interminable noche de sopor. Germán pensó que los grandes edificios exprimían con sus costados sin ventanas esas casitas antiguas, cuyos dueños no se decidían a vender aguardando otra alza en el precio del terreno, tan especuladores como el que más. Dinero, todo era dinero. Los neones se encendían escalonadamente, se enroscaban, guiñaban, producían una palabra que se esfumaba para dejar paso al rubio vaso de cerveza, a la cajetilla de Camel, al signo inteligible. Los peatones se demoraban por las aceras, imposible andar de prisa con semejante calor; Germán estimó la frescura de la tela nueva sobre su piel, el poroso tejido del género, el suave roce del cuello de la camisa (Arrow, diez dólares).

Al cruzar la avenida, un autobús destartalado le vació encima una bocanada de gas sucio y se alejó sacudiendo su cola irrespirable. Sintió en el paladar y en los pulmones el acre sabor del monóxido de carbono. A pesar de los vientos Alisios, a pesar del cercano mar, de la brisa que atravesaba la ciudad, el aire, en ciertas zonas, olía a gas. Una mañana Meléndez había sacado tiempo para hablarle sobre el envenenamiento de la atmósfera.

Sin permitir que la impaciencia lo dominara, Germán esperó veinte minutos en la parada de autobuses. No aparecía ninguno, y no pudo dejar de pensar en Rosa, en su cara pintarrajeada y empapada de sudor, en sus palabras, endurecidas por la tensión, sobre el pésimo servicio del transporte público.

Insconscientemente se miró los brillosos Freeman (treinta dólares noventa y nueve), alisó el traje sobre el vientre y miró su reloj. Cuando alzó la vista, vio cómo en el cruce próximo se agrupaban los autos tras un semáforo. Hubo una pequeña colisión, un fuerte golpe de parachoques, y dos furiosos automovilistas se apearon manoteando de sus máquinas; oyó los gritos, y luego los dos hombres se enfrascaron en una riña cuerpo a cuerpo.

Germán sacudió la cabeza pensando, algo asombrado, en la violencia de todos los días (en el fondo de su mente se agitaba una presencia gris y desdibujada, que irrumpiría con toda claridad de un momento a otro). Se dijo que era evidente; vivía en un país donde los nervios saltaban por las razones más nimias. Una simple discusión política (y no se hablaba sino de estadidad, colonia e independencia) podía concluir empapada en sangre. Asaltos, asesinatos en sombríos callejones, en playas de belleza paralizante, en hoteles de lujo, en calles y avenidas, en campos que se vaciaban diariamente, en habitaciones iluminadas y alegres, en millares de bares donde se consumía ron en proporciones escalofriantes. La otra violencia, la inconsciente, cosechaba sus muertos en dudosos accidentes de trabajo, en aparatosas colisiones automovilísticas (suicidio colectivo, claman unas voces). Bastaba ojear los periódicos y escuchar los noticiarios radiales para sospechar que la Isla iba diluyéndose en un torrente de sangre ofrendada en sacrificio ante sombríos dioses. "Como permanecemos de espaldas a otras realidades, creemos que vivimos en el mejor de los mundos." Meléndez se definió claramente en su memoria. "Los grandes medios de comunicación masiva en manos extranjeras son implacables anunciando a toda hora del día en qué maravilloso sistema naufragamos. Aquello de repetir incansablemente una mentira hasta que se la tome por verdad, ese principio infame que la humanidad recuerda espantada. ¿La violencia? Consecuencia del progreso, dicen con la mayor tranquilidad y cinismo. La violencia, desde luego, es también parte del negocio. Que los negros destruyan a los negros; que los asiáticos destruyan a los asiáticos; que los hispanoamericanos nos destruyamos a nosotros mismos, ¡que el Tercer Mundo se autodestruya, así su resistencia militante contra el imperialista queda anulada! ¿No le parece la más atroz de las consignas de los explotadores?" Germán asintió, dubitativo, pero cuando Meléndez abrió nuevamente la boca para seguir su perorata, cerró apresuradamente el pensamiento, bajó a la calzada y alzó la mano ante el taxi que se aproximaba lentamente.

Cuando se arrellanó en el cómodo asiento, se sorprendió suspirando. Ultimamente le había dado con suspirar, acompañando cada suspiro con frases por el estilo de "Sí, señor, así son las cosas"; "las cosas que tiene el mundo"; "el que venga atrás que arrée". No tenía importancia, desde luego.

Bajo las bombillas de las esquinas, grupos de hombres en camiseta jugaban dominó. Germán creía descubrir las botellas de ron, oír los golpes de las fichas sobre el tablero. Más tarde, quizá, sobrevendrían las reyertas.

Por suerte, nunca había sido bebedor: los bebedores suelen perder conciencia de sus actos, y él había vivido cada minuto con los ojos muy abiertos, afirmando los pies en tierra con una tensa, incansable vigilancia de sus pasos, quizá como si temiera pisar una indefinible trampa, evitando el tropezón que saca de equilibrio. Pero era indudable que había descuidado la guardia alguna vez, justamente porque había llegado a creerse seguro e invulnerable.

El taxi se detuvo en un cruce. Mientras una suave ráfaga de viento caliente ululaba en la puerta, Germán dejó vagar la vista hacia la vitrina que resplandecía llena de útiles de pesca al otro lado de la calle. Un maniquí, la cara ladeada y los brazos extendidos, sostenía una caña (imposible distinguirla desde esa distancia) y parecía forcejear con un pez renuente.

¿No resultaba extraño cómo se había apartado, casi con violencia, de toda actividad deportiva? Oh, pero ya sabía, podía comprenderlo, por favor (se dijo) nada de seguir manipulando la noria. Basta. Germán pescador y punto. La pesca en escala menor (cero barracudas, cero sierras), no requería gran esfuerzo. Además, ¿qué? Su corazón se portaba decentemente, ¿no lo había demostrado en el trabajo? Sin contar que no merecía la pena vivir enclaustrado, muerto de miedo, contándose minuciosamente los minutos y las pulsaciones: cadáver impaciente que aguarda su propia muerte. Cuidarme, claro, pero sin excesiva puntillosidad. Ocurre que el que se cuida demasiado vira las patas antes de tiempo. Ejemplos hay por montones. Eso no quiere decir que. Chequearme con Meléndez, tomar puntualmente, como niño inmejorable, las medicinas. Te aprietas la nariz, abres las fauces y uh, tomas aceite de bacalao, tu ricino, nene, si no papá te regaña. Estupendo. La ciencia, hoy, es maravillosa. Incluso trasplantes. El corazón de una niña de quince, ¡zafa! ¿Cuánto cobraría Barnard? ¿A millón de dólares por corazón? Se venden pesados, o por volumen, dependiendo. Corazones escandinavos con una ligera costra de escarcha; saludables corazones africanos que laten como tambores, lo menos un siglo de garantía; corazones puertorriqueños a precio de ganga; adolecen de pequeña falla de fábrica, pero puedes encargar dos, tres, cuatro y cambiarlos cuando lo creas necesario; desechables. Luzca bello corazón tropical para su próximo cumpleaños, sus amigos lo envidiarán. ¿Le interesaría un corazón infantil? Si no lo recarga de fatiga puede durar hasta cien años. Entréguenos su gastado corazón y siga pagando uno nuevo en cómodos plazos mensuales; tenemos catálogo, basta una llamada y nuestros simpáticos agentes le visitarán sin compromiso; con cada compra regalamos un sombrero; para las gentiles damitas que nos visiten, tenemos una extensa variedad de sostenes Maiden Form, se les atenderá y aconsejará gratuitamente. Venta de verano, estamos tirando los corazones por la ventana. Cepillos, bayetas y un líquido incoloro, nada inflamable, para limpiarlos todas las mañanas al saltar de la cama, así como un estuche refrigerador para conservar los repuestos; corazones desmontables, traen folleto con instrucciones, croquis y nomenclatura; acabamos de recibir embarque. Vendo corazón como nuevo por no poderlo mantener, llamadas de nueve a una. Por razones de viaje vendo corazón ligeramente usado. Anciano de noventa años extravió corazón en algún punto entre las avenidas Ponce de León y Fernández Juncos, rogamos a quien lo encuentre se sirva devolverlo en cualquier estación policíaca; su valor es incalculable por tratarse de recuerdo de familia. Del Manicomio Insular acaba de escaparse corazón cuyas señas son las que siguen; considerado peligroso, regularmente ataca a niños de siete u ocho años. Cambio corazón de sesenta años por perrito con pedigree, preferiblemente Boston Terrier. Por haber adquirido uno nuevo, vendo corazón con intachable historial clínico. Compro corazón linajudo a precio razonable, exijo pruebas de árbol genealógico. Coleccionista de renombre internacional solicita corazones con pequeños defectos o anormalidades; también admite estampillas y monedas en iguales condiciones. Comité de expendedores nativos de corazones eleva protesta ante el Gobernador por lo que considera competencia desleal de expendedores extranjeros y solicita, muy respetuosamente, se les imponga a éstos un tributo que proteja al comercio insular. Hallan corazón indígena en cuevas de Arecibo; especialistas sospechan pertenecía a cacique o, al menos, a uno de sus allegados. Descubren tráfico ilegal de corazones; delincuentes los cambiaban por cuentas de colores en las selvas del Brasil; alto oficial gubernamental involucrado en el contrabando; Fisco alega haber perdido millones de dólares en tributos como consecuencia de tales desmanes. Investigarán almacenistas vendían engañosamente corazones de cerdos y perros en vez de corazones humanos; aquellos ciudadanos que hayan adquirido su preciado órgano en esos almacenes pueden presentar sus reclamaciones de ocho a doce de la mañana.

El taxi se vio obligado a detenerse ante un semáforo. Germán volvió a pasear la vista por la acera, y pensó que, curiosamente, había vivido entre vitrinas. Vidrieras opacas, vitrinas que difícilmente proclaman lo que se oculta dentro. Pero mirando fijamente, escudriñando, se puede descubrir el interior. Claro. Antiescaparate escaparate, ¿por qué no? Celia, brillante escaparate. Carmen, borrosa vidriera. Clarence, vitrina iluminada. Rosa, escaparate con libro abierto. ¿Rosa? Nombre extraño en verdad. Usado pero extraño, una criatura con nombre así. Corola y pétalos. Oh, también se ha dicho mil veces lo de las espinas. No te pongas ridículo, pero es la verdad; las cosas bonitas se protegen de alguna manera. ¿Quién fue el primer hombre que tuvo tamaña ocurrencia? La ocurrencia de hacer de eso un símbolo aplicable a casi, si no a todos, los momentos de la vida. Bella, pero cuídate; además le llega el otoño, se deshoja. Esplendor de un día; jum; divino tesoro. Rosa, la de carne y hueso, también. Casi deshojada. Pero inventando un hombre, si no existía. No lo sé. Admirable. No se rinde, no nos rendimos. Y ahí está el ejemplo: las rosas dejan caer los pétalos (qué remedio) pero uno a uno, y muy contra su voluntad, es claro, y todavía permanecen, peladas, pero erguidas, como momias vivas, vehemente decisión de vivir. Pero lo inevitable ocurre, nada ni nadie se escapa. El oído atento, esperando el llamado. ¿Rosa habrá pensado en estas cosas? ¿Por qué no? A su manera. Se lo preguntaría, palabra. Interesante encontrármela un día en la parada de guaguas. Llevarla a la playa. Alquilar una cabaña. No está tan mal, algo estropeada, nada más. Pero ¿qué quieres? No puedes ponerte muy exigente a estas alturas. Un buen revolcón no te vendría mal. Mientras se pueda, ¿por qué no? Dandy. One day yes, narcisista irredento. Tirarla en la cama y quitarle la ropa poco a poco, sádicamente, empezando por la blusa. Espectáculo desagradable. Los años son atroces con las mujeres. A los treinta ya andan con los pechos en la cintura; qué crueldad, señor. Y luego vengan los sostenes para engañar al prójimo; uno las ve con sus pechitos tan erguidos, ¿será verdad tanta belleza? Uno lo acepta, claro, prefiere creer que es verdad; ellas establecen las reglas del juego y uno obedece, porque si no el mundo sería peor; bueno soñar un poco, supongo; de eso nadie se cura. Hay mujeres a las que se les puede adivinar qué llevan debajo; basta verles la cara, los aretes, la pintura, los anillos, los dedos y la pintura de las uñas. Rosa usará pantis negros, de acuerdo con su temperamento melodramático, con un corazón rojo sobre la cadera. Supongo que llorará escuchando un tango, le gustarán las novelas radiales, los poemas sentimentales, las películas de charros y cabareteras; se identificará con esas almas turbulentas. Carmen. Pobrecita. Mucho trabajo toda la vida. Pantis de bayeta. Si le tocas la nuca se te echa mansamente. El cuento del gato enfermo, y la cama ahí al lado. Pudiste tumbarla. Pero no. Moncho. Lo buscaron y lo encontraron. Por algo somos machos. Celia en la cama, la primera noche. No. Y yo que sí. No. Y yo que sí. Cubriéndose con pijamas transparentes. Qué estrategia. Excitan endiabladamente con esas ropas que ocultan y no ocultan. Ven, nena, ven. No. Carne blanca trigueña. La selva de su pelo. Dios mío, qué triste pensar que nada de eso volverá. Ropa interior blanca, blanca, nítida, perfumada. Una lamparita azul, ¿rosa? No. Azul. Todo bien preparado. Para volverse loco. El precio del tiempo; parece un título. Curioso cómo responden. Unas lloran. Cuando me llevaron al primer lupanar aquella mujer lloraba, se lamentaba a lágrima viva. Yo me asusté, era un pollito, estaba crudo. Los muchachos se rieron después. Era una puta, no había que creerle. Pero lloraba de verdad, no podía engañarme. Otras se ríen, les hace cosquillas. Me enfurecía, ¿se burlaban de mí? ¿No era tan hombre como el que más? Equivocación. Otras te dan dentelladas, te cogen odio porque las derrotas, te clavan las uñas, y en el momento culminante se vuelven víboras, maldicen, te empujan, quieren que te salgas, tienen tendencias raras, quizá preferirían estar con una mujer y no con un hombre. ¿Cómo se llamaba? Encontrada una noche por ahí; ¿a la salida de un restaurante? No. De un cine. La guagua no pasaba. Paraste el convertible, dudó, pero la máquina pudo más. ¿Qué cuento le hiciste? La trataste bien, un caballero. Un clubcito medianamente elegante, a media luz, *mood*, eso las ablanda. No bebía. Pero la convenciste. No atacaste directamente. La entretuviste hablándole de música, ¿no estaba de moda la orquesta de Rafael Muñoz? Armando y su Jazz Band. No. Eso vino después. No querías asustarla. Al salir tuviste que desviarte al baño, porque la enfermerita de Ponce estaba con un grupo de amigas en una mesa; saliste disparado y ella te preguntó qué te pasa. Nada, nena. No me pasa nada. Pero esa fue otra, no la que tenía las tendencias raras. Resultó lo que pasa a menudo. Un primo. Jugando. El primo había muerto en un accidente y ella no había vuelto a hacerlo con nadie más. ¡Qué casualidad, muerto en un accidente! Evitaba la posibilidad de que el primito intentara nuevas fornicaciones. No la volví a ver; me dio una dirección falsa; la busqué como aguja. ¿Qué se haría? ¿Se largaría a Nueva York? Y la noche de San Juan, en la playa, la muchacha del traje de baño anticuado. Con sus parientes. De madrugada, mientras los bañistas se reunían alrededor de las fogatas, bebiendo y cantando, cayó en el asiento posterior de mi matadero. Hotel ambulante. Esa duró. Seis meses. Pero luego empezó a llamarme a la oficina. No me dejaba respirar. Celosa. ¿Fue cuando el Chevrolet azul? No. El Ford, si no me equivoco. Y la otra, la religiosa. Yo salía con su hermana. No se pintaba; andaba con un misal en la cartera. Me excitaba terriblemente. Su hermana había salido no sé a qué. Tropezamos, le agarré una mano. Por poco me come, se me enroscó encima; tenía lo suyo guardadito; la tocaba y se ponía a temblar. Por eso rezaba tanto, porque temía rendirse antes de tiempo. No hubo nada, claro. Evitaba eso, no quería hacerle daño a ninguna. Divorciadas, viudas, una casada, el marido marino mercante, creo. Gocé con la herejía de atrapar a la niña religiosa. Su hermana no lo sospechó siquiera. Y los chascos. La que me dijo espérame. Se fue a cambiar de ropa, dijo. Bajó con un elemento. Puñetazos. Policía. No era lo mío, no tenía que hacerme la trampa. Eras insoportable con tu prurito de dandy. Otra se me tiró del carro, ¿el Packard? No importa. En la carretera oscura. No quiso montarse otra vez. Siguió sola, sin una luz, en un sitio que no conocía. No pude dormir. La semana siguiente la fui a buscar. La casera me dijo: pero si salió con usted y no ha vuelto. Tamaño susto. La busqué en los sitios más frecuentados por la juventud. Nada. Un mes después la encontré en un prostíbulo, nunca lo hubiera imaginado: sentada a una mesa, bebiendo, un hombre sobándole los muslos. Salí disparado, ¿yo había tenido la culpa? La que me arrastró a su cuarto; pasamos entre personas dormidas, nos metimos tras una cortina; cuando desperté, una chiquitina limpiaba el cuarto, como si tal, y yo en cueros. Pero ninguna cedía con facilidad, realmente; tenía que demostrarles que si cedían era porque yo las inducía, eran inocentes, yo casi las engañaba; así no sentían culpa ni remordimientos, habían caído gracias a los influjos satánicos desatados contra ellas; importante tomar conciencia de ese detalle: uno es el culpable siempre, ella es una pobre chica con problemas, que en un momento determinado, confundida, pierde la cabeza, no sabe lo que hace, minuto de flojeza causado por el ambiente, por el tedio, por las horribles complicaciones diarias, porque papá no me deja salir y mamá me trata como a una esclava; porque el novio la dejó por otra; porque un trago estaba bien, pero no sabía que iba a llegar tan lejos; porque es una pobre divorciada desamparada que detesta a los hombres, no sé cómo vine a hacer este disparate contigo; porque la música tiene un poder embrujador sobre sus nervios, romántica por naturaleza, le gustaría escribir poesías, pero en ningún momento le hubiera pasado por la cabeza que, con él, eso, no sabía qué le había ocurrido. Delicioso escucharlas hablar histéricamente diciendo que no, atrevido, cómo es posible, no y no, mientras se desabrochaban la blusa, no, no estoy acostumbrada, se descalzan, no, eso nunca, se bajan la saya, no, parece que está loco, oiga, se equivoca conmigo; totalmente desnudas dicen no, no me tome por una cualquiera, si quiere verme, véame, pero sin tocarme ni una uña, ¿por quién me ha tomado? No cesan de protestar y suspiran, tiemblan, se muerden las uñas, esconden la barbilla en el hombro de uno, no, no, cuidado, cuidado, fuera, fuera, no quiero líos. Pero Rosa, Carmen, serían otro cantar. Cero contradicciones. Y ahora soy yo el que dice no, suspende, pero quién sabe, quién sabe. No puedes ponerte exigente a estas alturas, querido amigo. Los estragos del tiempo. Parece un título.

El taxi surcaba regularmente la carretera. El chófer silbaba una melodía, le gustaba su trabajo. Mediana complexión, cara redonda, mejillas labradas en grandes remolachas. Vitrinas encendidas; el aire caliente envolvía a Germán como un aliento descomunal. Semáforos. Cuando cruzaron frente al Hospital Presbiteriano, dejó galopar la vista hacia el portal, hacia los ventanales. Entrevió cofias blancas y almidonadas moviéndose a lo largo de los pasillos, adivinó médicos con estetoscopios colgados del cuello, camillas de brillante cromio, vitrinas erizadas de helados instrumentos quirúrgicos. Olería a cloroformo, a comida desgrasada, a asepsia y a oxígeno acumulado. En uno de los cuartos del fondo, temprano en la mañana, había muerto Celia. Ni su padre, ni la tía Julia se presentaron, impedido el primero por el odio de su hermana. Al entierro acudieron sus compañeros de trabajo, un pariente lejano y varios vecinos. Carmen había vestido de riguroso luto y llorado exageradamente durante toda la ceremonia. El ataúd era liviano, encerraba un cuerpo descarnado. Hay que ver, señor, las sorpresas que uno se lleva.

Como en una parada organizada para turistas, empezaron a desfilar las palmeras con sus columnas de negra madera sobre el mar todavía invisible. Germán suspiró.

Inopinadamente, el taxista dijo:

—En agosto pediré el turno fijo de noche. Ese mes el sol mata gente. Por las noches al menos se siente un poco de fresco.

A ambos lados de la carretera los bares estaban iluminados. Los vendedores de cocos y de frituras de bacalao permanecían en sus puestos, esperando clientes. Grupos bulliciosos irrumpían de portales iluminados, abordaban sus autos o se decidían a tomar el fresco paseando a lo largo de la carretera para luego internarse en un club nocturno, en un bar, en un restaurante.

—Vea a esos turistas —continuó el chofer—. Andan casi desnudos las más de las veces. Los otros días se me montó una aquí al lado con un trajecito que más parecía una blusa larga. Se quejaba del calor, pero me está que el calor era el whisky que tenía en el cuerpo. Me dio un peso de propina. Es lo bueno de esa gente.

Entre la profusión de troncos de palmeras emergió la clara arena de la playa, inerme bajo el rizado baño de espuma de las olas. Aquí y allá sobresalían grandes carteles anunciando próximas construcciones. A cada trecho aparecían los hoteles, acribillados de luces y resplandores rosados. Germán adivinaba los oscuros barecitos decorados con palmeras de cartulina, resonantes de voces extranjeras y compases de jazz, espesos de humo, acolchados, con curvas barras de caoba tallada y aparadores repletos de botellas matizadas por luces de colores. Los turistas, deslumbrados durante el día por un sol insoslayable, sorbían brebajes servidos en cocos y anunciados con extraños nombres de los mares del sur. En salas perfectamente iluminadas giraban incesantemente las ruletas, los cepillos arrastraban centenares de montones de fichas, rubias bilingües meneaban las nalgas provocativamente.

Las flamantes construcciones se rodeaban de caminitos enarenados, fuentes y jardines. Había cobertizos de hojas de palma entre hibiscos y diminutos arroyos, palmeras entretejidas de lucecitas multicolores y, junto a las pequeñas albercas, helechos, geranios, flamencos aletargados sobre su pata tiesa. Palpitaba la vida rosa fabricada por las agencias turísticas, por organismos gubernamentales y furtivos intereses metropolitanos. Paraíso tropical.

Entre los troncos anochecidos, Germán columbra el mar, espeso como aceite, y aspira la fragancia de los jazmines en la terraza mientras sus amigos, gordos, con indudables aires de prosperidad, le rodean levantando las copas, palmeando sus espaldas.

—Elena, por favor, sírvele un trago al desaparecido. ¿Dónde te habías metido, hombre de Dios? Un brindis, muchachos. ¿Cómo puede un hombre perderse en un país tan chiquito?

—Necesito inmediatamente un whisky —dice Germán—. Doble, bien cargado.

—Elenita, darling, Chivas Regal para el desaparecido. Oye, no luces mal. No te perdonamos que te hayas apartado del grupo.

Amalia avanza por el centro de la sala, delgada, el pelo salpicado de canas. Pero luce extrañamente juvenil.

—Germán, ¡qué alegría! —se abrazan—. Has vivido bien ¿verdad? Ni siquiera tienes canas. Supe que Celia... ¡Pobrecita!

—No lo acapares, Amalia —grazna Sergio.

Germán lo mira con mal disimulada curiosidad. La chaqueta de Sergio se engloba sobre su formidable vientre.

—Elenita, please, un disco de la vieja guardia. Sergio, ¿quieres Adiós muchachos? No lo aguantarías ahora ¿verdad? Elena, los niños están peleando otra vez. —Jorge se sube de hombros y separa los brazos—. Esto no se acaba, señores. Criar los hijos, y cuando uno decide descansar, resulta que hay que empezar de nuevo con los nietos.

—Está sonando el teléfono, Georgie.

—No contestes. Que esperen. Que llamen a la oficina. Esta es nuestra noche, cero trabajo. Dile a la muchacha que vaya preparando la parrilla. Germán, mañana daremos un paseo en mi bote, estás invitado. Hasta Fajardo. Si el mar no estuviera picado podríamos ir más lejos. ¿Te interesa Virgin Islands? Vate, según veo no tienes ni canas. ¿Ves mi cabeza? Dentro de poco se confundirá con una bola de billar. ¡Es que he hecho muchos negocios pelo a pelo!

—Jorge no cambia ¿verdad? —Amalia toma del brazo a Germán y lo lleva hacia la baranda—. Siempre mantiene ese espíritu... ¿Cómo diré? Fiestero. Pasé mucho tiempo resentida con ellos. ¡Supongo que se me notaba a leguas!

—Yo también, en el fondo...

—Nos parecíamos mucho.

—Sí. No sé bien, Amalia. Hubo una desviación. No he sido quien hubiera querido ser. Es duro, duro. Siento que me han manipulado, que no he sido yo quien ha vivido mi vida. Todo ha sido tan falso.

—Vamos, no es hora de lamentarse. ¿Con quién trabajas?

—Acabo de jubilarme —Germán trata de sonreír—. Razones de salud. Tuve un infarto cardíaco. Me trato con el doctor Meléndez, debes de saber quién es.

—Por varias razones. ¿No ha tratado de convencerte?

—¡Claro, claro! —ríe Germán—. Como cardiólogo es muy original.

—¿Qué piensas hacer de ahora en adelante?

—Pues... no sé bien. ¿Me dedicaré a la buena vida? No tengo deudas y la pensión es suficientemente alta para vivir con comodidad. Tal vez viaje a México.

—Esa es buena idea. No tienes hijos ¿verdad?

—No.

—Julio murió hace dos años, no sé si lo sabrás.

—Lo siento. ¡Qué cosas! De repente nos convertimos

en viudos. Amalia, la muchacha que llegó a pensar en hacerse monja. Y yo abogado que defendería ciertas causas. Me parece una broma desgraciada.

—Tu aspecto no es el de un hombre que ha sufrido. Luces increíblemente joven, Germán. Diez años menos, palabra.

—Tuve preocupaciones falsas, tal vez se daba a eso. No podía comprender por qué en este país la gente vivía para buscarse... problemas gratuitamente, sin esperanza de recompensa alguna. Sin embargo creo que *yo no era así*... Algo se torció en mí. Cero preocupaciones sociales... Mi padre era un obrero, llegamos a pasar hambre. ¿Temía repetir su experiencia? ¿Pretendía olvidar la amargura de la pobreza? Si viviera no me lo perdonaría. Lo traicioné.

La mano de Amalia aprieta la suya.

—¿No te alegras de que estemos todos reunidos como en los buenos tiempos?

—Sí, me alegro. No tenía vida pensando en este momento. Necesitaba verlos. Soy un estúpido sentimental, en el fondo.

—Y te creaste una máscara, una costra de frialdad. Es lo que siempre he pensado de ti. Duro por fuera, impasible por fuera, pero blando y tierno de corazón.

—Me pregunto cosas sobre la niñez y la juventud. ¿Dónde quedaron los sueños? Acabo de jubilarme, y ahora ¿qué? No he dejado hijos, ni una buena obra. Sólo sudor, ¿eso es suficiente? Tú y yo nos entendíamos ¿por qué nos separamos? Amalia ¿habrá tiempo todavía de recobrar al menos parte de nuestra juventud? ¿Te casarías conmigo?

—Sí.

Germán la toma rápidamente del brazo y la lleva a la

sala, donde el grupo de amigos charla animadamente entre trago y trago.

—Les tenemos una sorpresa —declara Amalia.

En el silencio expectante, Germán anuncia:

—Queridos amigos, me place informarles que Amalia y yo hemos decidido recobrar los mejores años de la juventud. Vamos a casarnos.

Mudos de sorpresa, se miran unos a otros. De repente, estalla la alegría.

—¡Bravo, ra ra ra!

—¡Van a ser tan felices! ¿verdad, Georgie? La pobre Amalia ha pasado la vida pensando en ti, Germán. ¡Es maravilloso, si parece un cuento de hadas!

—¡Ordena que traigan el champán, Elenita! Date prisa, por favor! ¡Es la mejor noticia que he tenido en años!

—Aquí es, señor —dijo el taxista, y Germán reconoció que lo decía por tercera vez—. Un dólar cuarenta.

Lo cegó el collar de luces esplendentes. Mujeres en pantaloncitos, viejos tostados de sol con cámaras fotográficas colgadas al hombro, jóvenes sonrientes lo cruzaban sin mirarlo. Desde algún punto le llegaba el alarido de una trompeta, el resoplido de un saxofón, el golpe de una batería. Se detuvo para comprobar su ubicación, súbitamente empequeñecido por el boato, por el lujo de ese mundo que le rodeaba. Luego caminó escudriñando los números en lo alto de las fachadas de cafés, restaurantes, bares. De la carretera subía, en mareante espiral, un vaho sofocante. Olía a almeja, a asfalto, a marisma, a hoja de palma reseca sobre rompientes limosos. Manoteando con sus largos brazos en la oscuridad, las palmeras se cimbreaban bajo ramalazos de brisa.

Germán giró la vista a su alrededor. Descubrió, al fin, el camino, algo ensombrecido y primitivo en medio del ambiente ferozmente moderno del turismo hotelero. Sus zapatos se hundieron en la arena, tantearon cuidadosamente entre trozos de alambre, periódicos viejos, latas, maderos y osamentas de cocos, hasta encontrarse de repente ante el ancho, plácido rumor del mar. Con esfuerzo, avanzó en la oscuridad, rumbo al acantilado. Pero se detuvo un momento y contempló el promontorio formado por trozos de cemento, fragmentos de hierro y maderos podridos por la intemperie. La terraza, pensó. Recorrió con la vista el vacío resonante de olas, las alambradas, los cocoteros que apuntaban a lo alto como campanarios vegetales, los collares de luces que relumbraban sobre la carretera.

Germán se dijo que, obviamente, había equivocado el lugar de reunión con sus amigos. Pero después sintió caer los brazos a sus costados cuando, en un relámpago de fría lucidez, se preguntó si la amable tarjetita, en la que alguien había escrito "No faltes, todos te esperamos", había existido alguna vez. Inmóvil, escuchando apenas el fuerte golpear del oleaje en el acantilado, se dijo que, en realidad, ya importaba poco hallar respuesta a su pregunta.

Caminó dos, tres, cuatro pasos y apoyó el pie con furibunda firmeza en el borde del acantilado. Puedes terminar aquí, se dijo, no habría gente para socorrerte. Sus ojos miraron fascinados la oscuridad del fondo. Su cadáver, mordido por los peces, hallado por un grupo de turistas entre las rocas. Alzó la vista rechazando el urgente llamado del abismo y atisbó hacia la invisible línea del horizonte. Allá, detrás de la apretada sombra del Atlántico, palpitaban otras tierras, nacían y vivían y morían otros hombres. Bajó nuevamente la vista hacia la fragorosa profundidad del acantilado. En ese instante una ola golpeó furiosamente el muro con chasquido de latigazo. El agua saltó vivamente, esparciendo en la brisa miriadas de gotas, salpicándole el costoso traje adquirido para impresionar a sus amigos.

Germán probó el sabor de sus labios con un lento, consciente paseo de la lengua. Estaban salados, el salitre se había alojado en ellos.

Pero no fue el salitre. Era que estaba llorando.

San Juan, Puerto Rico: Diciembre 1968
Madrid. Noviembre 1969.